RAPH

TABLES OF HOUSES

FOR

GREAT BRITAIN.

Place	Latitude	Place	Latitude
Plymouth . . .	50° N 22′	Belfast . . .	54° N 34′
Taunton	51° N 1′	Newcastle-on-Tyne	54° N 59′
London	51° N 32′	Ayr	55° N 28′
Buckingham . .	51° N 59′	Glasgow . . .	55° N 53′
Birmingham . .	52° N 28′	Dundee . . .	56° N 28′
Nottingham . . .	52° N 57′	Aberdeen . . .	57° N 9′
Liverpool . . .	53° N 25′	Inverness . . .	57° N 29′
Hull	53° N 45′	Wick	58° N 27′
York	53° N 58′	Orkney Isles . .	59° N 0′

These Tables are Serviceable for All Places in or near These Latitudes, and in Any Part of the World.

W. FOULSHAM & CO., LTD.

MADE IN GREAT BRITAIN

PREFACE.

THE following Tables of Houses will suffice for the whole of the British Isles. Some of them were published years ago in "The Future," and, as they are for populous cities or districts, my Publishers acquired the copyrights so that I could use them for checking or publishing.

These Tables will not be of much service unless the time of birth is correctly noted. In England, Wales, and Scotland the Standard time is Greenwich, or Railway time, but it is not correct except for places in, or very near to the Meridian of Greenwich.

In all cases of birth it is absolutely necessary that the time should be "local" time, which is true Astronomical time. Its variation is 4 minutes for every degree of Longitude, East or West of Greenwich. When the place of birth is East of Greenwich, the difference in time must be *added* to Greenwich, or Railway time; for instance, suppose a birth occurred at 8h. 30m. A.M. at Lowestoft or Great Yarmouth, the Longitude of these places is about 1½° East of Greenwich, and reckoning 4 minutes for each degree, would mean a difference of 6 minutes, so instead of the birth occurring at 8h. 30m. A.M., the true time would be 8h. 36m. If the birth had taken place at Liverpool, which is about 3° West of Greenwich, the difference in time would be 12 minutes less, so that the correct time of birth would be 8h. 18m. A.M.

The following places are on, or very near the Meridian of Greenwich: Brighton, Croydon, Hertford, Huntingdon, Cambridge, Boston, Great Grimsby, and Hull, so that no alteration in time will be necessary for a birth in those places.

The Longitude and Latitude of almost every Town can easily be seen from any school map book.

In Ireland, Dublin time is Standard or Railway time, and the correction for Longitude should be made from that place.

TABLES OF HOUSES FOR PLYMOUTH, Latitude 50° 22′ N.

Sidereal Time.			10	11	12	Ascen		2	3
			♈	♉	♊	♋		♌	♍
H.	M.	S.	°	°	°	°	′	°	°
0	0	0	0	8	22	25	40	12	2
0	3	40	1	9	23	26	21	13	3
0	7	20	2	11	23	27	2	14	4
0	11	1	3	12	24	27	42	14	5
0	14	41	4	13	25	28	23	15	6
0	18	21	5	14	26	29	3	16	7
0	22	2	6	15	27	29	44	17	7
0	25	42	7	16	28	0 ♌	24	17	8
0	29	23	8	17	29	1	5	18	9
0	33	4	9	18	29	1	45	19	10
0	36	45	10	19	♋	2	25	19	11
0	40	27	11	20	1	3	5	20	12
0	44	8	12	21	2	3	46	21	12
0	47	50	13	22	3	4	26	22	13
0	51	32	14	23	4	5	6	22	14
0	55	14	15	24	4	5	46	23	15
0	58	57	16	25	5	6	26	24	16
1	2	40	17	26	6	7	6	25	17
1	6	24	18	27	7	7	46	25	18
1	10	7	19	28	8	8	26	26	18
1	13	51	20	29	9	9	6	27	19
1	17	36	21	♊	9	9	47	27	20
1	21	21	22	1	10	10	27	28	21
1	25	6	23	2	11	11	7	29	22
1	28	52	24	3	12	11	47	♍	23
1	32	38	25	4	13	12	28	0	24
1	36	25	26	5	13	13	8	1	25
1	40	13	27	6	14	13	48	2	25
1	44	1	28	7	15	14	29	3	26
1	47	49	29	8	16	15	10	3	27
1	51	38	30	9	17	15	50	4	28

Sidereal Time.			10	11	12	Ascen		2	3
			♉	♊	♋	♌		♍	♍
H.	M.	S.	°	°	°	°	′	°	°
1	51	38	0	9	17	15	50	4	28
1	55	28	1	10	17	16	31	5	29
1	59	18	2	11	18	17	12	6	♎
2	3	8	3	12	19	17	53	7	1
2	7	0	4	13	20	18	34	7	2
2	10	52	5	14	20	19	15	8	3
2	14	44	6	15	21	19	56	9	3
2	18	37	7	16	22	20	37	10	4
2	22	31	8	17	23	21	19	10	5
2	26	26	9	18	24	22	0	11	6
2	30	21	10	19	24	22	42	12	7
2	34	17	11	20	25	23	24	13	8
2	38	14	12	21	26	24	5	14	9
2	42	11	13	22	27	24	47	14	10
2	46	9	14	23	28	25	30	15	11
2	50	9	15	24	28	26	12	16	12
2	54	7	16	25	29	26	54	17	13
2	58	8	17	25	♌	27	37	18	13
3	2	8	18	26	1	28	19	18	14
3	6	10	19	27	2	29	2	19	15
3	10	12	20	28	2	29	45	20	16
3	14	16	21	29	3	0 ♍	28	21	17
3	18	19	22	♋	4	1	11	22	18
3	22	24	23	1	5	1	55	22	19
3	26	29	24	2	6	2	38	23	20
3	30	35	25	3	6	3	22	24	21
3	34	42	26	4	7	4	6	25	22
3	38	49	27	5	8	4	50	26	23
3	42	57	28	6	9	5	34	27	24
3	47	6	29	7	10	6	18	27	25
3	51	16	30	8	10	7	2	28	26

Sidereal Time.			10	11	12	Ascen		2	3
			♊	♋	♌	♍		♍	♎
H.	M.	S.	°	°	°	°	′	°	°
3	51	16	0	8	10	7	2	28	26
3	55	26	1	9	11	7	47	29	27
3	59	37	2	9	12	8	31	♎	28
4	3	48	3	10	13	9	16	1	28
4	8	1	4	11	14	10	1	2	29
4	12	13	5	12	15	10	46	2	♏
4	16	27	6	13	15	11	31	3	1
4	20	41	7	14	16	12	16	4	2
4	24	55	8	15	17	13	1	5	3
4	29	11	9	16	18	13	47	6	4
4	33	26	10	17	19	14	32	7	5
4	37	42	11	18	20	15	18	8	6
4	41	59	12	19	20	16	4	8	7
4	46	17	13	20	21	16	50	9	8
4	50	34	14	21	22	17	36	10	9
4	54	52	15	22	23	18	22	11	10
4	59	11	16	23	24	19	8	12	11
5	3	30	17	23	25	19	54	13	12
5	7	49	18	24	26	20	40	14	13
5	12	9	19	25	26	21	27	15	14
5	16	29	20	26	27	22	13	15	15
5	20	49	21	27	28	23	0	16	16
5	25	10	22	28	29	23	46	17	17
5	29	30	23	29	♍	24	33	18	18
5	33	51	24	♌	1	25	20	19	19
5	38	13	25	1	2	26	6	20	19
5	42	34	26	2	2	26	53	21	20
5	46	55	27	3	3	27	40	21	21
5	51	17	28	4	4	28	26	22	22
5	55	38	29	5	5	29	13	23	23
6	0	0	30	6	6	30	0	24	24

Sidereal Time.			10	11	12	Ascen		2	3
			♋	♌	♍	♎		♎	♏
H.	M.	S.	°	°	°	°	′	°	°
6	0	0	0	6	6	0	0	24	24
6	4	22	1	7	7	0	47	25	25
6	8	43	2	8	8	1	34	26	26
6	13	5	3	9	9	2	20	27	27
6	17	26	4	10	9	3	7	28	28
6	21	47	5	11	10	3	54	28	29
6	26	9	6	11	11	4	40	29	♐
6	30	30	7	12	12	5	27	♏	1
6	34	50	8	13	13	6	14	1	2
6	39	11	9	14	14	7	0	2	3
6	43	31	10	15	15	7	47	3	4
6	47	51	11	16	15	8	33	4	5
6	52	11	12	17	16	9	20	4	6
6	56	30	13	18	17	10	6	5	7
7	0	49	14	19	18	10	52	6	7
7	5	8	15	20	19	11	38	7	8
7	9	26	16	21	20	12	24	8	9
7	13	43	17	22	21	13	10	9	10
7	18	1	18	23	22	13	56	10	11
7	22	18	19	24	22	14	42	10	12
7	26	34	20	25	23	15	28	11	13
7	30	49	21	26	24	16	13	12	14
7	35	5	22	27	25	16	59	13	15
7	39	19	23	28	26	17	44	14	16
7	43	33	24	29	27	18	29	15	17
7	47	47	25	♍	28	19	14	15	18
7	51	59	26	1	28	19	59	16	19
7	56	12	27	2	29	20	44	17	20
8	0	23	28	2	♎	21	29	18	21
8	4	34	29	3	1	22	13	19	21
8	8	44	30	4	2	22	58	20	22

Sidereal Time.			10	11	12	Ascen		2	3
			♌	♍	♎	♎		♏	♐
H.	M.	S.	°	°	°	°	′	°	°
8	8	44	0	4	2	22	58	20	22
8	12	54	1	5	3	23	42	20	23
8	17	3	2	6	3	24	26	21	24
8	21	11	3	7	4	25	10	22	25
8	25	19	4	8	5	25	54	23	26
8	29	25	5	9	6	26	38	24	27
8	33	31	6	10	7	27	22	24	28
8	37	36	7	11	8	28	5	25	29
8	41	41	8	12	8	28	49	26	♑
8	45	44	9	13	9	29	32	27	1
8	49	48	10	14	10	0 ♏	15	28	2
8	53	50	11	15	11	0	58	28	3
8	57	52	12	16	12	1	41	29	4
9	1	52	13	17	12	2	23	♐	5
9	5	53	14	17	13	3	6	1	5
9	9	51	15	18	14	3	48	2	6
9	13	51	16	19	15	4	30	2	7
9	17	49	17	20	16	5	13	3	8
9	21	46	18	21	16	5	55	4	9
9	25	43	19	22	17	6	36	5	10
9	29	39	20	23	18	7	18	6	11
9	33	34	21	24	19	8	0	6	12
9	37	29	22	25	20	8	41	7	13
9	41	23	23	26	20	9	23	8	14
9	45	16	24	27	21	10	4	9	15
9	49	8	25	27	22	10	45	10	16
9	53	0	26	28	23	11	26	10	17
9	56	52	27	29	23	12	7	11	18
10	0	42	28	♎	24	12	48	12	19
10	4	32	29	1	25	13	29	13	20
10	8	22	30	2	26	14	10	13	21

Sidereal Time.			10	11	12	Ascen		2	3
			♍	♎	♎	♏		♐	♑
H.	M.	S.	°	°	°	°	′	°	°
10	8	22	0	2	26	14	10	13	21
10	12	11	1	3	27	14	50	14	22
10	15	59	2	4	27	15	31	15	23
10	19	47	3	5	28	16	12	16	24
10	23	35	4	5	29	16	52	17	25
10	27	22	5	6	♏	17	32	17	26
10	31	8	6	7	0	18	13	18	27
10	34	54	7	8	1	18	53	19	28
10	38	39	8	9	2	19	33	20	29
10	42	24	9	10	3	20	13	21	♒
10	46	9	10	11	3	20	54	21	1
10	49	53	11	12	4	21	34	22	2
10	53	36	12	12	5	22	14	23	3
10	57	20	13	13	5	22	54	24	4
11	1	3	14	14	6	23	34	25	5
11	4	46	15	15	7	24	14	26	6
11	8	28	16	16	8	24	54	26	7
11	12	10	17	17	8	25	34	27	8
11	15	52	18	18	9	26	14	28	9
11	19	33	19	18	10	26	55	29	10
11	23	15	20	19	11	27	35	♑	11
11	26	56	21	20	11	28	15	1	12
11	30	37	22	21	12	28	55	1	13
11	34	18	23	22	13	29	36	2	14
11	37	58	24	23	13	0 ♐	16	3	15
11	41	39	25	23	14	0	57	4	16
11	45	19	26	24	15	1	37	5	17
11	48	59	27	25	16	2	18	6	18
11	52	40	28	26	16	2	58	7	19
11	56	20	29	27	17	3	39	7	21
12	0	0	30	28	18	4	20	8	22

TABLES OF HOUSES FOR PLYMOUTH, Latitude 50° 22′. N.

Sidereal Time H.	M.	S.	10 ♎ °	11 ♎ °	12 ♏ °	Ascen ♐ °	′	2 ♑ °	3 ♒ °
12	0	0	0	28	18	4	20	8	22
12	3	40	1	28	19	5	1	9	23
12	7	20	2	29	19	5	43	10	24
12	11	1	3	♏	20	6	24	11	25
12	14	41	4	1	21	7	5	12	26
12	18	21	5	2	21	7	47	13	27
12	22	2	6	3	22	8	29	14	28
12	25	42	7	3	23	9	11	15	29
12	29	23	8	4	24	9	53	16	♓
12	33	4	9	5	24	10	36	17	2
12	36	45	10	6	25	11	18	18	3
12	40	27	11	7	26	12	1	19	4
12	44	8	12	8	27	12	45	20	5
12	47	50	13	8	27	13	28	21	6
12	51	32	14	9	28	14	12	22	8
12	55	14	15	10	29	14	56	23	9
12	58	57	16	11	29	15	40	24	10
13	2	40	17	12	♐	16	25	25	11
13	6	24	18	12	1	17	10	26	12
13	10	7	19	13	2	17	55	27	14
13	13	51	20	14	2	18	41	28	15
13	17	36	21	15	3	19	27	♒	16
13	21	21	22	16	4	20	13	1	17
13	25	6	23	17	5	21	0	2	19
13	28	52	24	17	5	21	47	3	20
13	32	38	25	18	6	22	35	4	21
13	36	25	26	19	7	23	23	5	22
13	40	13	27	20	8	24	12	7	23
13	44	1	28	21	8	25	1	8	25
13	47	49	29	22	9	25	51	9	26
13	51	38	30	22	10	26	42	10	27

Sidereal Time H.	M.	S.	10 ♏ °	11 ♏ °	12 ♐ °	Ascen ♐ °	′	2 ♒ °	3 ♓ °
13	51	38	0	22	10	26	42	10	27
13	55	28	1	23	11	27	33	12	28
13	59	18	2	24	12	28	24	13	♈
14	3	8	3	25	12	29	16	14	1
14	7	0	4	26	13	0♑	9	16	2
14	10	52	5	27	14	1	3	17	4
14	14	44	6	27	15	1	57	18	5
14	18	37	7	28	16	2	52	20	6
14	22	31	8	29	16	3	48	21	7
14	26	26	9	♐	17	4	45	22	9
14	30	21	10	1	18	5	42	24	10
14	34	17	11	2	19	6	41	25	11
14	38	14	12	3	20	7	40	27	13
14	42	11	13	3	21	8	40	28	14
14	46	9	14	4	21	9	42	♓	15
14	50	9	15	5	22	10	44	1	16
14	54	7	16	6	23	11	48	3	18
14	58	8	17	7	24	12	52	5	19
15	2	8	18	8	25	13	58	6	20
15	6	10	19	9	26	15	5	8	22
15	10	12	20	10	27	16	14	9	23
15	14	16	21	10	28	17	24	11	24
15	18	19	22	11	29	18	35	13	26
15	22	24	23	12	29	19	48	14	27
15	26	29	24	13	♑	21	2	16	28
15	30	35	25	14	1	22	18	18	29
15	34	42	26	15	2	23	35	19	♉
15	38	49	27	16	3	24	54	21	2
15	42	57	28	17	4	26	15	23	3
15	47	6	29	18	5	27	39	25	4
15	51	16	30	19	6	29	4	26	6

Sidereal Time H.	M.	S.	10 ♐ °	11 ♐ °	12 ♑ °	Ascen ♑ °	′	2 ♓ °	3 ♉ °
15	51	16	0	19	6	29	4	26	6
15	55	26	1	19	7	0♒	31	28	7
15	59	37	2	20	8	2	0	♈	8
16	3	48	3	21	9	3	31	2	10
16	8	1	4	22	10	5	4	3	11
16	12	13	5	23	11	6	40	5	12
16	16	27	6	24	13	8	18	7	13
16	20	41	7	25	14	9	59	9	15
16	24	55	8	26	15	11	42	10	16
16	29	11	9	27	16	13	28	12	17
16	33	26	10	28	17	15	16	14	18
16	37	42	11	29	18	17	7	16	19
16	41	59	12	♑	19	19	1	17	21
16	46	17	13	1	20	20	58	19	22
16	50	34	14	2	22	22	57	21	23
16	54	52	15	3	23	24	59	23	24
16	59	11	16	4	24	27	4	24	25
17	3	30	17	5	25	29	11	26	27
17	7	49	18	6	27	1♓	21	28	28
17	12	9	19	7	28	3	34	29	29
17	16	29	20	8	29	5	49	♉	♊
17	20	49	21	9	♒	8	7	3	1
17	25	10	22	10	2	10	27	4	3
17	29	30	23	11	3	12	49	6	4
17	33	51	24	12	5	15	13	8	5
17	38	13	25	13	6	17	38	9	6
17	42	34	26	14	7	20	4	11	7
17	46	55	27	15	9	22	32	12	8
17	51	17	28	16	10	25	1	14	9
17	55	38	29	17	12	27	30	15	10
18	0	0	30	19	13	30	0	17	11

Sidereal Time H.	M.	S.	10 ♑ °	11 ♑ °	12 ♒ °	Ascen ♈ °	′	2 ♉ °	3 ♊ °
18	0	0	0	19	13	0	0	17	11
18	4	22	1	20	15	2	30	18	13
18	8	43	2	21	16	4	59	20	14
18	13	5	3	22	18	7	28	21	15
18	17	26	4	23	19	9	56	23	16
18	21	47	5	24	21	12	22	24	17
18	26	9	6	25	22	14	47	25	18
18	30	30	7	26	24	17	11	27	19
18	34	50	8	28	26	19	33	28	20
18	39	11	9	29	27	21	53	♊	21
18	43	31	10	♒	29	24	11	1	22
18	47	51	11	1	♓	26	26	2	23
18	52	11	12	2	2	28	39	3	24
18	56	30	13	3	4	0♉	49	5	25
19	0	49	14	5	6	2	56	6	26
19	5	8	15	6	7	5	1	7	27
19	9	26	16	7	9	7	3	8	28
19	13	43	17	8	11	9	2	10	29
19	18	1	18	9	13	10	59	11	♋
19	22	18	19	11	14	12	53	12	1
19	26	34	20	12	16	14	44	13	2
19	30	49	21	13	18	16	32	14	3
19	35	5	22	14	20	18	18	15	4
19	39	10	23	15	21	20	1	16	5
19	43	33	24	17	23	21	42	17	6
19	47	47	25	18	25	23	20	19	7
19	51	59	26	19	27	24	56	20	8
19	56	12	27	20	28	26	29	21	9
20	0	23	28	22	♈	28	0	22	10
20	4	34	29	23	2	29	29	23	11
20	8	44	30	24	4	0♊	56	24	11

Sidereal Time H.	M.	S.	10 ♒ °	11 ♒ °	12 ♈ °	Ascen ♊ °	′	2 ♊ °	3 ♋ °
20	8	44	0	24	4	0	56	24	11
20	12	54	1	26	5	2	21	25	12
20	17	3	2	27	7	3	45	26	13
20	21	11	3	28	9	5	6	27	14
20	25	18	4	29	11	6	25	28	15
20	29	25	5	♓	12	7	42	29	16
20	33	31	6	2	14	8	58	♋	17
20	37	36	7	3	16	10	12	1	18
20	41	41	8	4	17	11	25	1	19
20	45	44	9	6	19	12	36	2	20
20	49	48	10	7	21	13	46	3	20
20	53	50	11	8	22	14	55	4	21
20	57	52	12	10	24	16	2	5	22
21	1	52	13	11	25	17	8	6	23
21	5	53	14	12	27	18	12	7	24
21	9	51	15	14	29	19	16	8	25
21	13	51	16	15	♉	20	18	9	26
21	17	49	17	16	2	21	20	9	27
21	21	46	18	17	3	22	20	10	27
21	25	43	19	19	5	23	19	11	28
21	29	39	20	20	6	24	18	12	29
21	33	34	21	21	8	25	15	13	♌
21	37	29	22	22	9	26	12	14	1
21	41	23	23	24	10	27	8	14	2
21	45	16	24	25	12	28	3	15	3
21	49	8	25	26	13	28	57	16	3
21	53	0	26	28	14	29	51	17	4
21	56	52	27	29	16	0♋	44	18	5
22	0	42	28	♈	17	1	36	18	6
22	4	32	29	2	18	2	27	19	7
22	8	22	30	3	20	3	18	20	8

Sidereal Time H.	M.	S.	10 ♓ °	11 ♈ °	12 ♉ °	Ascen ♋ °	′	2 ♋ °	3 ♌ °
22	8	22	0	3	20	3	18	20	8
22	12	11	1	4	21	4	9	21	8
22	15	59	2	5	22	4	59	22	9
22	19	47	3	7	23	5	48	22	10
22	23	35	4	8	25	6	37	23	11
22	27	22	5	9	26	7	25	24	12
22	31	8	6	10	27	8	13	25	13
22	34	54	7	11	28	9	0	25	13
22	38	39	8	13	29	9	47	26	14
22	42	24	9	14	♊	10	33	27	15
22	46	9	10	15	2	11	19	28	16
22	49	53	11	16	3	12	5	28	17
22	53	36	12	18	4	12	50	29	18
22	57	20	13	19	5	13	35	♌	18
23	1	3	14	20	6	14	20	1	19
23	4	46	15	21	7	15	4	1	20
23	8	28	16	22	8	15	48	2	21
23	12	10	17	24	9	16	32	3	22
23	15	52	18	25	10	17	15	3	22
23	19	33	19	26	11	17	59	4	23
23	23	15	20	27	12	18	42	5	24
23	26	56	21	28	13	19	24	6	25
23	30	37	22	29	14	20	7	6	26
23	34	18	23	♉	15	20	49	7	27
23	37	58	24	2	16	21	31	8	27
23	41	39	25	3	17	22	13	9	28
23	45	19	26	4	18	22	55	9	29
23	48	59	27	5	19	23	36	10	♍
23	52	40	28	6	20	24	17	11	1
23	56	20	29	7	21	24	59	11	2
24	0	0	30	8	22	25	40	12	2

TABLES OF HOUSES FOR TAUNTON, Latitude 51° 1′ N.

Sidereal Time. H.	M.	S.	10 ♈ °	11 ♉ °	12 ♊ °	Ascen ♋ °	′	2 ♌ °	3 ♍ °
0	0	0	0	9	22	26	11	13	3
0	3	40	1	10	23	26	52	13	3
0	7	20	2	11	24	27	32	14	4
0	11	1	3	12	24	28	13	15	5
0	14	41	4	13	25	28	53	15	6
0	18	21	5	14	26	29	33	16	7
0	22	2	6	15	27	0 ♌	13	17	8
0	25	42	7	16	28	0	53	18	8
0	29	23	8	17	29	1	33	18	9
0	33	4	9	18	♋	2	13	19	10
0	36	45	10	19	1	2	53	20	11
0	40	27	11	20	1	3	33	20	12
0	44	8	12	21	2	4	13	21	13
0	47	50	13	22	3	4	53	22	13
0	51	32	14	24	4	5	32	23	14
0	55	14	15	25	5	6	12	23	15
0	58	57	16	26	6	6	52	24	16
1	2	40	17	27	6	7	32	25	17
1	6	24	18	28	7	8	11	26	18
1	10	7	19	29	8	8	51	26	19
1	13	51	20	♊	9	9	31	27	19
1	17	36	21	1	10	10	11	28	20
1	21	21	22	2	10	10	51	28	21
1	25	6	23	3	11	11	30	29	22
1	28	52	24	4	12	12	10	♍	23
1	32	38	25	5	13	12	50	1	24
1	36	25	26	6	14	13	30	1	25
1	40	13	27	7	14	14	11	2	25
1	44	1	28	8	15	14	51	3	26
1	47	49	29	8	16	15	31	4	27
1	51	38	30	9	17	16	11	4	28

Sidereal Time. H.	M.	S.	10 ♉ °	11 ♊ °	12 ♋ °	Ascen ♌ °	′	2 ♍ °	3 ♍ °
1	51	38	0	9	17	16	11	4	28
1	55	28	1	10	18	16	52	5	29
1	59	18	2	11	18	17	32	6	♎
2	3	8	3	12	19	18	12	7	1
2	7	0	4	13	20	18	53	7	2
2	10	52	5	14	21	19	34	8	3
2	14	44	6	15	22	20	15	9	3
2	18	37	7	16	22	20	56	10	4
2	22	31	8	17	23	21	37	11	5
2	26	26	9	18	24	22	18	11	6
2	30	21	10	19	25	23	0	12	7
2	34	17	11	20	25	23	41	13	8
2	38	14	12	21	26	24	23	14	9
2	42	11	13	22	27	25	4	14	10
2	46	9	14	23	28	25	46	15	11
2	50	9	15	24	29	26	28	16	12
2	54	7	16	25	29	27	10	17	12
2	58	8	17	26	♌	27	52	18	13
3	2	8	18	26	1	28	35	18	14
3	6	10	19	27	2	29	17	19	15
3	10	12	20	28	3	0 ♍	0	20	16
3	14	16	21	29	3	0	42	21	17
3	18	19	22	♋	4	1	25	22	18
3	22	24	23	1	5	2	8	22	19
3	26	29	24	2	6	2	51	23	20
3	30	35	25	3	7	3	35	24	21
3	34	42	26	4	8	4	18	25	22
3	38	49	27	5	8	5	2	26	23
3	42	57	28	6	9	5	45	27	24
3	47	6	29	7	10	6	29	27	25
3	51	16	30	8	11	7	13	28	25

Sidereal Time. H.	M.	S.	10 ♊ °	11 ♋ °	12 ♌ °	Ascen ♍ °	′	2 ♍ °	3 ♎ °
3	51	16	0	8	11	7	13	28	25
3	55	26	1	9	11	7	57	29	26
3	59	37	2	10	12	8	41	♎	27
4	3	48	3	10	13	9	25	1	28
4	8	1	4	11	14	10	10	2	29
4	12	13	5	12	14	10	55	2	♏
4	16	27	6	13	15	11	40	3	1
4	20	41	7	14	16	12	24	4	2
4	24	55	8	15	17	13	9	5	3
4	29	11	9	16	18	13	54	6	4
4	33	26	10	17	19	14	40	7	5
4	37	42	11	18	20	15	25	7	6
4	41	59	12	19	21	16	10	8	7
4	46	17	13	20	22	16	56	9	8
4	50	34	14	21	22	17	42	10	9
4	54	52	15	22	23	18	27	11	10
4	59	11	16	23	24	19	13	12	11
5	3	30	17	24	25	19	59	13	12
5	7	49	18	25	26	20	45	14	13
5	12	9	19	25	27	21	31	14	14
5	16	29	20	26	28	22	17	15	15
5	20	49	21	27	28	23	3	16	15
5	25	10	22	28	29	23	49	17	16
5	29	30	23	29	♍	24	35	18	17
5	33	51	24	♌	1	25	22	19	18
5	38	13	25	1	2	26	8	20	19
5	42	34	26	2	3	26	54	20	20
5	46	55	27	3	4	27	41	21	21
5	51	17	28	4	4	28	27	22	22
5	55	38	29	5	5	29	14	23	23
6	0	0	30	6	6	30	0	24	24

Sidereal Time. H.	M.	S.	10 ♋ °	11 ♌ °	12 ♍ °	Ascen ♎ °	′	2 ♎ °	3 ♏ °
6	0	0	0	6	6	0	0	24	24
6	4	22	1	7	7	0	46	25	25
6	8	43	2	8	8	1	33	26	26
6	13	5	3	9	8	2	19	27	27
6	17	26	4	10	9	3	6	28	28
6	21	47	5	11	10	3	52	28	29
6	26	9	6	12	11	4	38	29	♐
6	30	30	7	13	12	5	25	♏	1
6	34	50	8	14	13	6	11	1	2
6	39	11	9	15	14	6	57	2	3
6	43	31	10	16	15	7	43	3	4
6	47	51	11	16	15	8	29	4	5
6	52	11	12	17	16	9	15	5	5
6	56	30	13	18	17	10	1	5	6
7	0	49	14	19	18	10	47	6	7
7	5	8	15	20	19	11	33	7	8
7	9	26	16	21	20	12	18	8	9
7	13	43	17	22	21	13	4	9	10
7	18	1	18	23	22	13	50	10	11
7	22	18	19	24	22	14	35	10	12
7	26	34	20	25	23	15	20	11	13
7	30	49	21	26	24	16	6	12	14
7	35	5	22	27	25	16	51	13	15
7	39	19	23	28	26	17	35	14	16
7	43	33	24	29	27	18	20	15	17
7	47	47	25	♍	28	19	5	16	18
7	51	59	26	1	28	19	50	16	19
7	56	12	27	2	29	20	34	17	20
8	0	23	28	3	♎	21	19	18	20
8	4	34	29	4	1	22	3	18	21
8	8	44	30	5	2	22	47	19	22

Sidereal Time. H.	M.	S.	10 ♌ °	11 ♍ °	12 ♎ °	Ascen ♎ °	′	2 ♏ °	3 ♐ °
8	8	44	0	5	2	22	47	19	22
8	12	54	1	5	3	23	31	20	23
8	17	3	2	6	3	24	15	21	24
8	21	11	3	7	4	24	58	22	25
8	25	19	4	8	5	25	42	23	26
8	29	25	5	9	6	26	25	23	27
8	33	31	6	10	7	27	9	24	28
8	37	36	7	11	8	27	52	25	29
8	41	41	8	12	8	28	35	26	♑
8	45	44	9	13	9	29	18	27	1
8	49	48	10	14	10	0 ♏	0	27	2
8	53	50	11	15	11	0	43	28	3
8	57	52	12	16	12	1	25	29	4
9	1	52	13	17	12	2	8	♐	4
9	5	53	14	18	13	2	50	1	5
9	9	51	15	18	14	3	32	1	6
9	13	51	16	19	15	4	14	2	7
9	17	49	17	20	16	4	56	3	8
9	21	46	18	21	16	5	37	4	9
9	25	43	19	22	17	6	19	5	10
9	29	39	20	23	18	7	0	5	11
9	33	34	21	24	19	7	42	6	12
9	37	29	22	25	20	8	23	7	13
9	41	23	23	26	20	9	4	8	14
9	45	16	24	27	21	9	45	9	15
9	49	8	25	28	22	10	26	9	16
9	53	0	26	28	23	11	7	10	17
9	56	52	27	29	23	11	47	11	18
10	0	42	28	♎	24	12	28	12	19
10	4	32	29	1	25	13	8	12	20
10	8	22	30	2	26	13	49	13	21

Sidereal Time. H.	M.	S.	10 ♍ °	11 ♎ °	12 ♎ °	Ascen ♏ °	′	2 ♐ °	3 ♑ °
10	8	22	0	2	26	13	49	13	21
10	12	11	1	3	26	14	29	14	22
10	15	59	2	4	27	15	9	15	23
10	19	47	3	5	28	15	49	16	23
10	23	35	4	5	28	16	30	16	24
10	27	22	5	6	29	17	10	17	25
10	31	8	6	7	♏	17	50	18	26
10	34	54	7	8	1	18	30	19	27
10	38	39	8	9	2	19	9	20	28
10	42	24	9	10	2	19	49	21	29
10	46	9	10	11	3	20	29	21	♒
10	49	53	11	11	4	21	9	22	1
10	53	36	12	12	5	21	49	23	2
10	57	20	13	13	5	22	28	24	3
11	1	3	14	14	6	23	8	24	4
11	4	46	15	15	7	23	48	25	5
11	8	28	16	16	8	24	28	26	6
11	12	10	17	17	8	25	7	27	7
11	15	52	18	17	9	25	47	28	9
11	19	33	19	18	10	26	27	29	10
11	23	15	20	19	10	27	7	29	11
11	26	56	21	20	11	27	47	♑	12
11	30	37	22	21	12	28	27	1	13
11	34	18	23	22	12	29	7	2	14
11	37	58	24	23	13	29	47	3	15
11	41	39	25	23	14	0 ♐	27	4	16
11	45	19	26	24	15	1	7	5	17
11	48	59	27	25	15	1	47	5	18
11	52	40	28	26	16	2	28	6	19
11	56	20	29	27	17	3	8	7	20
12	0	0	30	28	17	3	49	8	21

TABLES OF HOUSES FOR TAUNTON, *Latitude* 51° 1′ N.

Sidereal Time. H.	M.	S.	10 ♎ °	11 ♎ °	12 ♏ °	Ascen ♐ °	′	2 ♑ °	3 ♒ °
12	0	0	0	27	17	3	49	8	21
12	3	40	1	28	18	4	30	9	22
12	7	20	2	29	19	5	10	10	24
12	11	1	3	♏	20	5	51	11	25
12	14	41	4	1	20	6	33	12	26
12	18	21	5	2	21	7	14	13	27
12	22	2	6	2	22	7	55	14	28
12	25	42	7	3	23	8	37	15	29
12	29	23	8	4	23	9	19	16	♓
12	33	4	9	5	24	10	1	17	2
12	36	45	10	6	25	10	43	18	3
12	40	27	11	7	26	11	26	19	4
12	44	8	12	7	26	12	9	20	5
12	47	50	13	8	27	12	52	21	6
12	51	32	14	9	28	13	35	22	7
12	55	14	15	10	28	14	19	23	9
12	58	57	16	11	29	15	3	24	10
13	2	40	17	11	♐	15	47	25	11
13	6	24	18	12	1	16	31	26	12
13	10	7	19	13	1	17	16	27	13
13	13	51	20	14	2	18	1	28	15
13	17	36	21	15	3	18	47	29	16
13	21	21	22	16	4	19	33	♒	17
13	25	6	23	16	4	20	20	1	18
13	28	52	24	17	5	21	6	2	20
13	32	38	25	18	6	21	54	4	21
13	36	25	26	19	7	22	42	5	22
13	40	13	27	20	7	23	30	6	23
13	44	1	28	20	8	24	19	7	25
13	47	49	29	21	9	25	8	9	26
13	51	38	30	22	10	25	58	10	27

Sidereal Time. H.	M.	S.	10 ♏ °	11 ♏ °	12 ♐ °	Ascen ♐ °	′	2 ♒ °	3 ♓ °
13	51	38	0	22	10	25	58	10	27
13	55	28	1	23	11	26	48	11	28
13	59	18	2	24	11	27	39	12	♈
14	3	8	3	25	12	28	31	14	1
14	7	0	4	26	13	29	24	15	2
14	10	52	5	26	14	0♑	17	16	4
14	14	44	6	27	15	1	10	18	5
14	18	37	7	28	15	2	5	19	6
14	22	31	8	29	16	3	0	20	8
14	26	26	9	♐	17	3	57	22	9
14	30	21	10	1	18	4	54	24	10
14	34	17	11	2	19	5	52	25	11
14	38	14	12	2	19	6	50	27	13
14	42	11	13	3	20	7	50	28	14
14	46	9	14	4	21	8	51	♓	15
14	50	9	15	5	22	9	53	1	17
14	54	7	16	6	23	10	56	3	18
14	58	8	17	7	24	12	0	4	19
15	2	8	18	8	25	13	6	6	21
15	6	10	19	9	26	14	13	7	22
15	10	12	20	9	26	15	21	9	23
15	14	16	21	10	27	16	30	11	24
15	18	19	22	11	28	17	41	12	26
15	22	24	23	12	29	18	53	14	27
15	26	29	24	13	♑	20	7	16	28
15	30	35	25	14	1	21	23	17	♉
15	34	42	26	15	2	22	40	19	1
15	38	49	27	16	3	23	59	21	2
15	42	57	28	17	4	25	20	23	3
15	47	6	29	18	5	26	43	24	5
15	51	16	30	18	6	28	7	26	6

Sidereal Time. H.	M.	S.	10 ♐ °	11 ♐ °	12 ♑ °	Ascen ♑ °	′	2 ♓ °	3 ♉ °
15	51	16	0	18	6	28	7	26	6
15	55	26	1	19	7	29	34	28	7
15	59	37	2	20	8	1♒	3	♈	9
16	3	48	3	21	9	2	35	2	10
16	8	1	4	22	10	4	8	3	11
16	12	13	5	23	11	5	44	5	12
16	16	27	6	24	12	7	23	7	14
16	20	41	7	25	13	9	4	9	15
16	24	55	8	26	14	10	48	11	16
16	29	11	9	27	15	12	34	12	18
16	33	26	10	28	17	14	23	14	19
16	37	42	11	29	18	16	15	16	20
16	41	59	12	♑	19	18	10	18	21
16	46	17	13	1	20	20	8	20	22
16	50	34	14	2	21	22	9	21	23
16	54	52	15	3	22	24	13	23	25
16	59	11	16	4	24	26	19	25	26
17	3	30	17	5	25	28	29	27	27
17	7	49	18	6	26	0♓	41	28	28
17	12	9	19	7	27	2	56	♉	29
17	16	29	20	8	29	5	14	2	♊
17	20	49	21	9	♒	7	35	3	1
17	25	10	22	10	1	9	57	5	3
17	29	30	23	11	3	12	22	7	4
17	33	51	24	12	4	14	50	8	5
17	38	13	25	13	5	17	18	10	6
17	42	34	26	14	7	19	49	11	7
17	46	55	27	15	8	22	20	13	8
17	51	17	28	16	9	24	53	14	9
17	55	38	29	17	11	27	26	16	10
18	0	0	30	18	13	30	0	17	12

Sidereal Time. H.	M.	S.	10 ♑ °	11 ♑ °	12 ♒ °	Ascen ♈ °	′	2 ♉ °	3 ♊ °
18	0	0	0	18	13	0	0	17	12
18	4	22	1	20	14	2	34	19	13
18	8	43	2	21	16	5	7	21	14
18	13	5	3	22	17	7	40	22	15
18	17	26	4	23	19	10	11	23	16
18	21	47	5	24	20	12	42	25	17
18	26	9	6	25	22	15	10	26	18
18	30	30	7	26	23	17	38	27	19
18	34	50	8	27	25	20	3	29	20
18	39	11	9	29	27	22	25	♊	21
18	43	31	10	♒	28	24	46	1	22
18	47	51	11	1	♓	27	4	3	23
18	52	11	12	2	2	29	19	4	24
18	56	30	13	3	3	1♉	31	5	25
19	0	49	14	4	5	3	41	6	26
19	5	8	15	6	7	5	48	8	27
19	9	26	16	7	9	7	51	9	28
19	13	43	17	8	10	9	52	10	29
19	18	1	18	9	12	11	50	11	♋
19	22	18	19	10	14	13	45	12	1
19	26	34	20	12	16	15	37	13	2
19	30	49	21	13	18	17	26	14	3
19	35	5	22	14	19	19	12	16	4
19	39	19	23	15	21	20	56	17	5
19	43	33	24	16	23	22	37	18	6
19	47	47	25	18	25	24	16	19	7
19	51	59	26	19	27	25	52	20	8
19	56	12	27	20	28	27	25	21	9
20	0	23	28	21	♈	28	57	22	10
20	4	34	29	23	2	0♊	26	23	11
20	8	44	30	24	4	1	53	24	12

Sidereal Time. H.	M.	S.	10 ♒ °	11 ♒ °	12 ♈ °	Ascen ♊ °	′	2 ♊ °	3 ♋ °
20	8	44	0	24	4	1	53	24	12
20	12	54	1	25	6	3	17	25	12
20	17	3	2	27	7	4	40	26	13
20	21	11	3	28	9	6	1	27	14
20	25	18	4	29	11	7	20	28	15
20	29	25	5	♓	13	8	37	29	16
20	33	31	6	2	14	9	53	♋	17
20	37	36	7	3	16	11	7	1	18
20	41	41	8	4	18	12	19	2	19
20	45	44	9	6	19	13	30	3	20
20	49	48	10	7	21	14	39	4	21
20	53	50	11	8	23	15	47	4	21
20	57	52	12	9	24	16	54	5	22
21	1	52	13	11	26	18	0	6	23
21	5	53	14	12	28	19	4	7	24
21	9	51	15	13	29	20	7	8	25
21	13	51	16	15	♉	21	9	9	26
21	17	49	17	16	2	22	10	10	27
21	21	46	18	17	4	23	10	10	28
21	25	43	19	19	5	24	8	11	28
21	29	39	20	20	7	25	6	12	29
21	33	34	21	21	8	26	3	13	♌
21	37	29	22	22	9	27	0	14	1
21	41	23	23	24	11	27	55	15	2
21	45	16	24	25	12	28	50	15	3
21	49	8	25	26	14	29	43	16	4
21	53	0	26	28	15	0♋	36	17	4
21	56	52	27	29	16	1	29	18	5
22	0	42	28	♈	18	2	21	19	6
22	4	32	29	2	19	3	12	19	7
22	8	22	30	3	20	4	2	20	8

Sidereal Time. H.	M.	S.	10 ♓ °	11 ♈ °	12 ♉ °	Ascen ♋ °	′	2 ♋ °	3 ♌ °
22	8	22	0	3	20	4	2	20	8
22	12	11	1	4	21	4	52	21	9
22	15	59	2	5	23	5	41	22	9
22	19	47	3	7	24	6	30	23	10
22	23	35	4	8	25	7	19	23	11
22	27	22	5	9	26	8	6	24	12
22	31	8	6	10	28	8	54	25	13
22	34	54	7	12	29	9	40	26	14
22	38	39	8	13	♊	10	27	26	14
22	42	24	9	14	1	11	13	27	15
22	46	9	10	15	2	11	59	28	16
22	49	53	11	17	3	12	44	29	17
22	53	36	12	18	4	13	29	29	18
22	57	20	13	19	5	14	13	♌	19
23	1	3	14	20	6	14	57	1	19
23	4	46	15	21	7	15	41	2	20
23	8	28	16	23	8	16	25	2	21
23	12	10	17	24	9	17	8	3	22
23	15	52	18	25	10	17	51	4	23
23	19	33	19	26	11	18	34	5	23
23	23	15	20	27	12	19	17	5	24
23	26	56	21	28	13	19	59	6	25
23	30	37	22	♉	14	20	41	7	26
23	34	18	23	1	15	21	23	7	27
23	37	58	24	2	16	22	5	8	28
23	41	39	25	3	17	22	46	9	28
23	45	19	26	4	18	23	27	10	29
23	48	59	27	5	19	24	8	10	♍
23	52	40	28	6	20	24	49	11	1
23	56	20	29	8	21	25	30	12	2
24	0	0	30	9	22	26	11	12	3

TABLES OF HOUSES FOR LONDON, Latitude 51° 32′ N.

Sidereal Time. H.	M.	S.	10 ♈ °	11 ♉ °	12 ♊ °	Ascen ♋ °	′	2 ♌ °	3 ♍ °
0	0	0	0	9	22	26	36	12	3
0	3	40	1	10	23	27	17	13	3
0	7	20	2	11	24	27	56	14	4
0	11	0	3	12	25	28	42	15	5
0	14	41	4	13	25	29	17	15	6
0	18	21	5	14	26	29	55	16	7
0	22	2	6	15	27	0♌	34	17	8
0	25	42	7	16	28	1	14	18	8
0	29	23	8	17	29	1	55	18	9
0	33	4	9	18	♋	2	33	19	10
0	36	45	10	19	1	3	14	20	11
0	40	26	11	20	1	3	54	20	12
0	44	8	12	21	2	4	33	21	13
0	47	50	13	22	3	5	12	22	14
0	51	32	14	23	4	5	52	23	15
0	55	14	15	24	5	6	30	23	15
0	58	57	16	25	6	7	9	24	16
1	2	40	17	26	6	7	50	25	17
1	6	23	18	27	7	8	30	26	18
1	10	7	19	28	8	9	9	26	19
1	13	51	20	29	9	9	48	27	19
1	17	35	21	♊	10	10	28	28	20
1	21	20	22	1	10	11	8	28	21
1	25	6	23	2	11	11	48	29	22
1	28	52	24	3	12	12	28	♍	23
1	32	38	25	4	13	13	8	1	24
1	36	25	26	5	14	13	48	1	25
1	40	12	27	6	14	14	28	2	25
1	44	0	28	7	15	15	8	3	26
1	47	48	29	8	16	15	48	4	27
1	51	37	30	9	17	16	28	4	28

Sidereal Time. H.	M.	S.	10 ♉ °	11 ♊ °	12 ♋ °	Ascen ♌ °	′	2 ♍ °	3 ♍ °
1	51	37	0	9	17	16	28	4	28
1	55	27	1	10	18	17	8	5	29
1	59	17	2	11	19	17	48	6	♎
2	3	8	3	12	19	18	28	7	1
2	6	59	4	13	20	19	9	8	2
2	10	51	5	14	21	19	49	9	2
2	14	44	6	15	22	20	29	9	3
2	18	37	7	16	22	21	10	10	4
2	22	31	8	17	23	21	51	11	5
2	26	25	9	18	24	22	32	11	6
2	30	20	10	19	25	23	14	12	7
2	34	16	11	20	25	23	55	13	8
2	38	13	12	21	26	24	36	14	9
2	42	10	13	22	27	25	17	15	10
2	46	8	14	23	28	25	58	15	11
2	50	7	15	24	29	26	40	16	12
2	54	7	16	25	29	27	22	17	12
2	58	7	17	26	♌	28	4	18	13
3	2	8	18	27	1	28	46	18	14
3	6	9	19	27	2	29	28	19	15
3	10	12	20	28	3	0♍	12	20	16
3	14	15	21	29	3	0	54	21	17
3	18	19	22	♋	4	1	36	22	18
3	22	23	23	1	5	2	20	22	19
3	26	29	24	2	6	3	2	23	20
3	30	35	25	3	7	3	45	24	21
3	34	41	26	4	7	4	28	25	22
3	38	49	27	5	8	5	11	26	23
3	42	57	28	6	9	5	54	27	24
3	47	6	29	7	10	6	38	27	25
3	51	15	30	8	11	7	21	28	25

Sidereal Time. H.	M.	S.	10 ♊ °	11 ♋ °	12 ♌ °	Ascen ♍ °	′	2 ♍ °	3 ♎ °
3	51	15	0	8	11	7	21	28	25
3	55	25	1	9	12	8	5	29	26
3	59	36	2	10	12	8	49	♎	27
4	3	48	3	10	13	9	33	1	28
4	8	0	4	11	14	10	17	2	29
4	12	13	5	12	15	11	2	2	♏
4	16	26	6	13	16	11	46	3	1
4	20	40	7	14	17	12	30	4	2
4	24	55	8	15	17	13	15	5	3
4	29	10	9	16	18	14	0	6	4
4	33	26	10	17	19	14	45	7	5
4	37	42	11	18	20	15	30	8	6
4	41	59	12	19	21	16	15	8	7
4	46	16	13	20	21	17	0	9	8
4	50	34	14	21	22	17	45	10	9
4	54	52	15	22	23	18	30	11	10
4	59	10	16	23	24	19	16	12	11
5	3	29	17	24	25	20	3	13	12
5	7	49	18	25	26	20	49	14	13
5	12	9	19	25	27	21	35	14	14
5	16	29	20	26	28	22	20	15	14
5	20	49	21	27	28	23	6	16	15
5	25	9	22	28	29	23	51	17	16
5	29	30	23	29	♍	24	37	18	17
5	33	51	24	♌	1	25	23	19	18
5	38	12	25	1	2	26	9	20	19
5	42	34	26	2	3	26	55	21	20
5	46	55	27	3	4	27	41	21	21
5	51	17	28	4	4	28	27	22	22
5	55	38	29	5	5	29	13	23	23
6	0	0	30	6	6	30	0	24	24

Sidereal Time. H.	M.	S.	10 ♋ °	11 ♌ °	12 ♍ °	Ascen ♎ °	′	2 ♎ °	3 ♏ °
6	0	0	0	6	6	0	0	24	24
6	4	22	1	7	7	0	47	25	25
6	8	43	2	8	8	1	33	26	26
6	13	5	3	9	9	2	19	27	27
6	17	26	4	10	10	3	5	27	28
6	21	48	5	11	10	3	51	28	29
6	26	9	6	12	11	4	37	29	♐
6	30	30	7	13	12	5	23	♏	1
6	34	51	8	14	13	6	9	1	2
6	39	11	9	15	14	6	55	2	3
6	43	31	10	16	15	7	40	2	4
6	47	51	11	16	16	8	26	3	4
6	52	11	12	17	16	9	12	4	5
6	56	31	13	18	17	9	58	5	6
7	0	50	14	19	18	10	43	6	7
7	5	8	15	20	19	11	28	7	8
7	9	26	16	21	20	12	14	8	9
7	13	44	17	22	21	12	59	8	10
7	18	1	18	23	22	13	45	9	11
7	22	18	19	24	23	14	30	10	12
7	26	34	20	25	24	15	15	11	13
7	30	50	21	26	25	16	0	12	14
7	35	5	22	27	25	16	45	13	15
7	39	20	23	28	26	17	30	13	16
7	43	34	24	29	27	18	15	14	17
7	47	47	25	♍	28	18	59	15	18
7	52	0	26	1	29	19	43	16	19
7	56	12	27	2	29	20	27	17	20
8	0	24	28	3	♎	21	11	18	20
8	4	35	29	4	1	21	56	18	21
8	8	45	30	5	2	22	40	19	22

Sidereal Time. H.	M.	S.	10 ♌ °	11 ♍ °	12 ♎ °	Ascen ♎ °	′	2 ♏ °	3 ♐ °
8	8	45	0	5	2	22	40	19	22
8	12	54	1	5	3	23	24	20	23
8	17	3	2	6	3	24	7	21	24
8	21	11	3	7	4	24	50	22	25
8	25	19	4	8	5	25	34	23	26
8	29	26	5	9	6	26	18	23	27
8	33	31	6	10	7	27	1	24	28
8	37	37	7	11	8	27	44	25	29
8	41	41	8	12	8	28	26	26	♑
8	45	45	9	13	9	29	8	27	1
8	49	48	10	14	10	29	50	27	2
8	53	51	11	15	11	0♏	32	28	3
8	57	52	12	16	12	1	15	29	4
9	1	53	13	17	12	1	58	♐	4
9	5	53	14	18	13	2	39	1	5
9	9	53	15	18	14	3	21	1	6
9	13	52	16	19	15	4	3	2	7
9	17	50	17	20	16	4	44	3	8
9	21	47	18	21	16	5	26	3	9
9	25	44	19	22	17	6	7	4	10
9	29	40	20	23	18	6	48	5	11
9	33	35	21	24	18	7	29	5	12
9	37	29	22	25	19	8	9	6	13
9	41	23	23	26	20	8	50	7	14
9	45	16	24	27	21	9	31	8	15
9	49	9	25	28	22	10	11	9	16
9	53	1	26	28	23	10	51	9	17
9	56	52	27	29	23	11	32	10	18
10	0	42	28	♎	24	12	12	11	19
10	4	33	29	1	25	12	53	12	20
10	8	23	30	2	26	13	33	13	20

Sidereal Time. H.	M.	S.	10 ♍ °	11 ♎ °	12 ♎ °	Ascen ♏ °	′	2 ♐ °	3 ♑ °
10	8	23	0	2	26	13	33	13	20
10	12	12	1	3	26	14	13	14	21
10	16	0	2	4	27	14	53	15	22
10	19	48	3	5	28	15	33	15	23
10	23	35	4	5	29	16	13	16	24
10	27	22	5	6	29	16	52	17	25
10	31	8	6	7	♏	17	32	18	26
10	34	54	7	8	1	18	12	19	27
10	38	40	8	9	2	18	52	20	28
10	42	25	9	10	2	19	31	20	29
10	46	9	10	11	3	20	11	21	♒
10	49	53	11	11	4	20	50	22	1
10	53	37	12	12	4	21	30	23	2
10	57	20	13	13	5	22	9	24	3
11	1	3	14	14	6	22	49	24	4
11	4	46	15	15	7	23	28	25	5
11	8	28	16	16	7	24	8	26	6
11	12	10	17	17	8	24	47	27	8
11	15	52	18	17	9	25	27	28	9
11	19	34	19	18	10	26	6	29	10
11	23	15	20	19	10	26	45	♑	11
11	26	56	21	20	11	27	25	0	12
11	30	37	22	21	12	28	5	1	13
11	34	18	23	22	13	28	44	2	14
11	37	58	24	23	13	29	24	3	15
11	41	39	25	23	14	0♐	3	4	16
11	45	19	26	24	15	0	43	5	17
11	49	0	27	25	15	1	23	6	18
11	52	40	28	26	16	2	3	6	19
11	56	20	29	27	17	2	43	7	20
12	0	0	30	27	17	3	23	8	21

TABLES OF HOUSES FOR LONDON, *Latitude* 51° 32′ N.

Sidereal Time. H.	M.	S.	10 ♎ °	11 ♎ °	12 ♏ °	Ascen ♐ °	Ascen ′	2 ♑ °	3 ♒ °
12	0	0	0	27	17	3	23	8	21
12	3	40	1	28	18	4	4	9	23
12	7	20	2	29	19	4	45	10	24
12	11	0	3	♏	20	5	26	11	25
12	14	41	4	1	20	6	7	12	26
12	18	21	5	1	21	6	48	13	27
12	22	2	6	2	22	7	29	14	28
12	25	42	7	3	23	8	10	15	29
12	29	23	8	4	23	8	51	16	♓
12	33	4	9	5	24	9	33	17	2
12	36	45	10	6	25	10	15	18	3
12	40	26	11	6	25	10	57	19	4
12	44	8	12	7	26	11	40	20	5
12	47	50	13	8	27	12	22	21	6
12	51	32	14	9	28	13	4	22	7
12	55	14	15	10	28	13	47	23	9
12	58	57	16	11	29	14	30	24	10
13	2	40	17	11	♐	15	14	25	11
13	6	23	18	12	1	15	59	26	12
13	10	7	19	13	1	16	44	27	13
13	13	51	20	14	2	17	29	28	15
13	17	35	21	15	3	18	14	29	16
13	21	20	22	16	4	19	0	♒	17
13	25	6	23	16	4	19	45	1	18
13	28	52	24	17	5	20	31	2	20
13	32	38	25	18	6	21	18	4	21
13	36	25	26	19	7	22	6	5	22
13	40	12	27	20	7	22	54	6	23
13	44	0	28	21	8	23	42	7	25
13	47	48	29	21	9	24	31	8	26
13	51	37	30	22	10	25	20	10	27

Sidereal Time. H.	M.	S.	10 ♏ °	11 ♏ °	12 ♐ °	Ascen ♐ °	Ascen ′	2 ♒ °	3 ♓ °
13	51	37	0	22	10	25	20	10	27
13	55	27	1	23	11	26	10	11	28
13	59	17	2	24	11	27	2	12	♈
14	3	8	3	25	12	27	53	14	1
14	6	59	4	26	13	28	45	15	2
14	10	51	5	26	14	29	36	16	4
14	14	44	6	27	15	0 ♑	29	18	5
14	18	37	7	28	15	1	23	19	6
14	22	31	8	29	16	2	18	20	8
14	26	25	9	♐	17	3	14	22	9
14	30	20	10	1	18	4	11	23	10
14	34	16	11	2	19	5	9	25	11
14	38	13	12	2	20	6	7	26	13
14	42	10	13	3	20	7	6	28	14
14	46	8	14	4	21	8	6	29	15
14	50	7	15	5	22	9	8	♓	17
14	54	7	16	6	23	10	11	2	18
14	58	7	17	7	24	11	15	4	19
15	2	8	18	8	25	12	20	6	21
15	6	9	19	9	26	13	27	8	22
15	10	12	20	9	27	14	35	9	23
15	14	15	21	10	27	15	43	11	24
15	18	19	22	11	28	16	52	13	26
15	22	23	23	12	29	18	3	14	27
15	26	29	24	13	♑	19	16	16	28
15	30	35	25	14	1	20	32	17	29
15	34	41	26	15	2	21	48	19	♉
15	38	49	27	16	3	23	8	21	2
15	42	57	28	17	4	24	29	22	3
15	47	6	29	18	5	25	51	24	5
15	51	15	30	18	6	27	15	26	6

Sidereal Time. H.	M.	S.	10 ♐ °	11 ♐ °	12 ♑ °	Ascen ♑ °	Ascen ′	2 ♓ °	3 ♉ °
15	51	15	0	18	6	27	15	26	6
15	55	25	1	19	7	28	42	28	7
15	59	36	2	20	8	0 ♒	11	♈	9
16	3	48	3	21	9	1	42	2	10
16	8	0	4	22	10	3	16	3	11
16	12	13	5	23	11	4	53	5	12
16	16	26	6	24	12	6	32	7	14
16	20	40	7	25	13	8	13	9	15
16	24	55	8	26	14	9	57	11	16
16	29	10	9	27	16	11	44	12	17
16	33	26	10	28	17	13	34	14	18
16	37	42	11	29	18	15	26	16	20
16	41	59	12	♑	19	17	20	18	21
16	46	16	13	1	20	19	18	20	22
16	50	34	14	2	21	21	22	21	23
16	54	52	15	3	22	23	29	23	25
16	59	10	16	4	24	25	36	25	26
17	3	29	17	5	25	27	46	27	27
17	7	49	18	6	26	0 ♓	0	28	28
17	12	9	19	7	27	2	19	♉	29
17	16	29	20	8	29	4	40	2	♊
17	20	49	21	9	♒	7	2	3	1
17	25	9	22	10	1	9	26	5	2
17	29	30	23	11	3	11	54	7	3
17	33	51	24	12	4	14	24	8	5
17	38	12	25	13	5	17	0	10	6
17	42	34	26	14	7	19	33	11	7
17	46	55	27	15	8	22	6	13	8
17	51	17	28	16	10	24	40	14	9
17	55	38	29	17	11	27	20	16	10
18	0	0	30	18	13	30	0	17	11

Sidereal Time. H.	M.	S.	10 ♑ °	11 ♑ °	12 ♒ °	Ascen ♈ °	Ascen ′	2 ♉ °	3 ♊ °
18	0	0	0	18	13	0	0	17	11
18	4	22	1	20	14	2	39	19	13
18	8	43	2	21	16	5	19	20	14
18	13	5	3	22	17	7	55	22	15
18	17	26	4	23	19	10	29	23	16
18	21	48	5	24	20	13	2	25	17
18	26	9	6	25	22	15	36	26	18
18	30	30	7	26	23	18	6	28	19
18	34	51	8	27	25	20	34	29	20
18	39	11	9	29	27	22	59	♊	21
18	43	31	10	♒	28	25	22	1	22
18	47	51	11	1	♓	27	42	2	23
18	52	11	12	2	2	29	58	4	24
18	56	31	13	3	3	2 ♉	13	5	25
19	0	50	14	4	5	4	24	6	26
19	5	8	15	6	7	6	30	8	27
19	9	26	16	7	9	8	36	9	28
19	13	44	17	8	10	10	40	10	29
19	18	1	18	9	12	12	39	11	♋
19	22	18	19	10	14	14	35	12	1
19	26	34	20	12	16	16	28	13	2
19	30	50	21	13	18	18	17	14	3
19	35	5	22	14	19	20	3	16	4
19	39	20	23	15	21	21	48	17	5
19	43	34	24	16	23	23	29	18	6
19	47	47	25	18	25	25	9	19	7
19	52	0	26	19	27	26	45	20	8
19	56	12	27	20	28	28	18	21	9
20	0	24	28	21	♈	29	49	22	10
20	4	35	29	23	2	1 ♊	19	23	11
20	8	45	30	24	4	2	45	24	12

Sidereal Time. H.	M.	S.	10 ♒ °	11 ♒ °	12 ♈ °	Ascen ♊ °	Ascen ′	2 ♊ °	3 ♋ °
20	8	45	0	24	4	2	45	24	12
20	12	54	1	25	6	4	9	25	12
20	17	3	2	27	7	5	32	26	13
20	21	11	3	28	9	6	53	27	14
20	25	19	4	29	11	8	12	28	15
20	29	26	5	♓	13	9	27	29	16
20	33	31	6	2	14	10	43	♋	17
20	37	37	7	3	16	11	58	1	18
20	41	41	8	4	18	13	9	2	19
20	45	45	9	6	19	14	18	3	20
20	49	48	10	7	21	15	25	3	21
20	53	51	11	8	23	16	32	4	21
20	57	52	12	9	24	17	39	5	22
27	1	53	13	11	26	18	44	6	23
21	5	53	14	12	28	19	48	7	24
21	9	53	15	13	29	20	51	8	25
21	13	52	16	15	♉	21	53	9	26
21	17	50	17	16	2	22	53	10	27
21	21	47	18	17	4	23	52	10	28
21	25	44	19	19	5	24	51	11	28
21	29	40	20	20	7	25	48	12	29
21	33	35	21	22	8	26	44	13	♌
21	37	29	22	23	10	27	40	14	1
21	41	23	23	24	11	28	34	15	2
21	45	16	24	25	13	29	29	15	3
21	49	9	25	26	14	0 ♋	22	16	4
21	53	1	26	28	15	1	15	17	4
21	56	52	27	29	16	2	7	18	5
22	0	43	28	♈	18	2	57	19	6
22	4	33	29	2	19	3	48	19	7
22	8	23	30	3	20	4	38	20	8

Sidereal Time. H.	M.	S.	10 ♓ °	11 ♈ °	12 ♉ °	Ascen ♋ °	Ascen ′	2 ♋ °	3 ♌ °
22	8	23	0	3	20	4	38	20	8
22	12	12	1	4	21	5	28	21	8
22	16	0	2	6	23	6	17	22	9
22	19	48	3	7	24	7	5	23	10
22	23	35	4	8	25	7	53	23	11
22	27	22	5	9	26	8	42	24	12
22	31	8	6	10	28	9	29	25	13
22	34	54	7	12	29	10	16	26	14
22	38	40	8	13	♊	11	2	26	14
22	42	25	9	14	1	11	47	27	15
22	46	9	10	15	2	12	31	28	16
22	49	53	11	17	3	13	16	29	17
22	53	37	12	18	4	14	1	29	18
22	57	20	13	19	5	14	45	♌	19
23	1	3	14	20	6	15	28	1	19
23	4	46	15	21	7	16	11	2	20
23	8	28	16	23	8	16	54	2	21
23	12	10	17	24	9	17	37	3	22
23	15	52	18	25	10	18	20	4	23
23	19	34	19	26	11	19	3	5	24
23	23	16	20	27	12	19	45	5	24
23	26	56	21	29	13	20	26	6	25
23	30	37	22	♉	14	21	8	7	26
23	34	18	23	1	15	21	50	7	27
23	37	58	24	2	16	22	31	8	28
23	41	39	25	3	17	23	12	9	28
23	45	19	26	4	18	23	53	9	29
23	49	0	27	5	19	24	32	10	♍
23	52	40	28	6	20	25	15	11	1
23	56	20	29	8	21	25	56	12	2
24	0	0	30	9	22	26	36	13	3

TABLES OF HOUSES FOR BUCKINGHAM, Latitude 51° 59′ N.

Sidereal Time H.	M.	S.	10 ♈	11 ♉	12 ♊	Ascen ♋ °	′	2 ♌	3 ♍
0	0	0	0	9	23	27	0	13	3
0	3	40	1	10	24	27	40	14	4
0	7	20	2	11	24	28	20	14	4
0	11	1	3	12	25	28	59	15	5
0	14	41	4	13	26	29	39	16	6
0	18	21	5	15	27	0 ♌	19	17	7
0	22	2	6	16	28	0	58	17	8
0	25	42	7	17	29	1	38	18	9
0	29	23	8	18	30	2	17	19	9
0	33	4	9	19	♋	2	57	19	10
0	36	45	10	20	1	3	36	20	11
0	40	27	11	21	2	4	15	21	12
0	44	8	12	22	3	4	55	22	13
0	47	50	13	23	4	5	34	22	14
0	51	32	14	24	5	6	13	23	14
0	55	14	15	25	5	6	52	24	15
0	58	57	16	26	6	7	31	24	16
1	2	40	17	27	7	8	11	25	17
1	6	24	18	28	8	8	50	26	18
1	10	7	19	29	9	9	29	27	19
1	13	51	20	♊	9	10	9	27	19
1	17	36	21	1	10	10	48	28	20
1	21	21	22	2	11	11	27	29	21
1	25	6	23	3	12	12	7	30	22
1	28	52	24	4	13	12	46	♍	23
1	32	38	25	5	13	13	25	1	24
1	36	25	26	6	14	14	5	2	25
1	40	13	27	7	15	14	45	3	25
1	44	1	28	8	16	15	24	3	26
1	47	49	29	9	17	16	4	4	27
1	51	38	30	10	17	16	44	5	28

Sidereal Time H.	M.	S.	10 ♉	11 ♊	12 ♋	Ascen ♌ °	′	2 ♍	3 ♍
1	51	38	0	10	17	16	44	5	28
1	55	28	1	11	18	17	24	5	29
1	59	18	2	12	19	18	4	6	♎
2	3	8	3	13	20	18	44	7	1
2	7	0	4	14	21	19	24	8	2
2	10	52	5	15	21	20	4	8	2
2	14	44	6	16	22	20	45	9	3
2	18	37	7	17	23	21	25	10	4
2	22	31	8	18	24	22	6	11	5
2	26	26	9	19	25	22	46	12	6
2	30	21	10	19	25	23	27	12	7
2	34	17	11	20	26	24	8	13	8
2	38	14	12	21	27	24	49	14	9
2	42	11	13	22	28	25	30	15	10
2	46	9	14	23	28	26	11	15	11
2	50	9	15	24	29	26	53	16	11
2	54	7	16	25	♌	27	34	17	12
2	58	8	17	26	1	28	16	18	13
3	2	8	18	27	2	28	58	19	14
3	6	10	19	28	2	29	40	19	15
3	10	12	20	29	3	0 ♍	22	20	16
3	14	16	21	♋	4	1	4	21	17
3	18	19	22	1	5	1	46	22	18
3	22	24	23	2	6	2	29	23	19
3	26	29	24	3	6	3	11	23	20
3	30	35	25	3	7	3	54	24	21
3	34	42	26	4	8	4	37	25	22
3	38	49	27	5	9	5	20	26	22
3	42	57	28	6	10	6	3	27	23
3	47	6	29	7	10	6	46	27	24
3	51	16	30	8	11	7	30	28	25

Sidereal Time H.	M.	S.	10 ♊	11 ♋	12 ♌	Ascen ♍ °	′	2 ♍	3 ♎
3	51	16	0	8	11	7	30	28	25
3	55	26	1	9	12	8	13	29	26
3	59	37	2	10	13	8	57	♎	27
4	3	48	3	11	14	9	41	1	28
4	8	1	4	12	14	10	25	2	29
4	12	13	5	13	15	11	9	2	♏
4	16	27	6	14	16	11	53	3	1
4	20	41	7	15	17	12	37	4	2
4	24	55	8	16	18	13	22	5	3
4	29	11	9	17	19	14	6	6	4
4	33	26	10	17	19	14	51	7	5
4	37	42	11	18	20	15	36	7	6
4	41	59	12	19	21	16	21	8	7
4	46	17	13	20	22	17	6	9	8
4	50	34	14	21	23	17	51	10	8
4	54	52	15	22	24	18	36	11	9
4	59	11	16	23	24	19	21	12	10
5	3	30	17	24	25	20	6	13	11
5	7	49	18	25	26	20	52	13	12
5	12	9	19	26	27	21	37	14	13
5	16	29	20	27	28	22	23	15	14
5	20	49	21	28	29	23	8	16	15
5	25	10	22	29	29	23	54	17	16
5	29	30	23	♌	♍	24	39	18	17
5	33	51	24	1	1	25	25	19	18
5	38	13	25	2	2	26	11	19	19
5	42	34	26	2	3	26	57	20	20
5	46	55	27	3	4	27	43	21	21
5	51	17	28	4	4	28	28	22	22
5	55	38	29	5	5	29	14	23	23
6	0	0	30	6	6	30	0	24	24

Sidereal Time H.	M.	S.	10 ♋	11 ♌	12 ♍	Ascen ♎ °	′	2 ♎	3 ♏
6	0	0	0	6	6	0	0	24	24
6	4	22	1	7	7	0	46	25	25
6	8	43	2	8	8	1	32	25	26
6	13	5	3	9	9	2	18	26	27
6	17	26	4	10	10	3	3	27	28
6	21	47	5	11	11	3	49	28	28
6	26	9	6	12	11	4	35	29	29
6	30	30	7	13	12	5	21	♏	♐
6	34	50	8	14	13	6	6	1	1
6	39	11	9	15	14	6	52	1	2
6	43	31	10	16	15	7	37	2	3
6	47	51	11	17	16	8	23	3	4
6	52	11	12	18	17	9	8	4	5
6	56	30	13	19	17	9	54	5	6
7	0	49	14	20	18	10	39	6	7
7	5	8	15	21	19	11	24	6	8
7	9	26	16	22	20	12	9	7	9
7	13	43	17	22	21	12	54	8	10
7	18	1	18	23	22	13	39	9	11
7	22	18	19	24	23	14	24	10	12
7	26	34	20	25	23	15	9	11	13
7	30	49	21	26	24	15	54	11	13
7	35	5	22	27	25	16	38	12	14
7	39	19	23	28	26	17	23	13	15
7	43	33	24	29	27	18	7	14	16
7	47	47	25	♍	28	18	51	15	17
7	51	59	26	1	28	19	35	16	18
7	56	12	27	2	29	20	19	16	19
8	0	23	28	3	♎	21	3	17	20
8	4	34	29	4	1	21	47	18	21
8	8	44	30	5	2	22	30	19	22

Sidereal Time H.	M.	S.	10 ♌	11 ♍	12 ♎	Ascen ♎ °	′	2 ♏	3 ♐
8	8	44	0	5	2	22	30	19	22
8	12	54	1	6	3	23	14	20	23
8	17	3	2	7	3	23	57	20	24
8	21	11	3	8	4	24	40	21	25
8	25	19	4	8	5	25	23	22	26
8	29	25	5	9	6	26	6	23	27
8	33	31	6	10	7	26	49	24	27
8	37	36	7	11	7	27	31	25	28
8	41	41	8	12	8	28	14	25	29
8	45	44	9	13	9	28	56	26	♑
8	49	48	10	14	10	29	38	27	1
8	53	50	11	15	11	0 ♏	20	28	2
8	57	52	12	16	11	1	2	28	3
9	1	52	13	17	12	1	44	29	4
9	5	53	14	18	13	2	26	♐	5
9	9	51	15	19	14	3	7	1	6
9	13	51	16	19	15	3	49	2	7
9	17	49	17	20	15	4	30	2	8
9	21	46	18	21	16	5	11	3	9
9	25	43	19	22	17	5	52	4	10
9	29	39	20	23	18	6	33	5	11
9	33	34	21	24	19	7	14	6	11
9	37	29	22	25	19	7	54	6	12
9	41	23	23	26	20	8	35	7	13
9	45	16	24	27	21	9	15	8	14
9	49	8	25	28	22	9	56	9	15
9	53	0	26	28	22	10	36	9	16
9	56	52	27	29	23	11	16	10	17
10	0	42	28	♎	24	11	56	11	18
10	4	32	29	1	25	12	36	12	19
10	8	22	30	2	25	13	16	13	20

Sidereal Time H.	M.	S.	10 ♍	11 ♎	12 ♎	Ascen ♏ °	′	2 ♐	3 ♑
10	8	22	0	2	25	13	16	13	20
10	12	11	1	3	26	13	56	13	21
10	15	59	2	4	27	14	36	14	22
10	19	47	3	5	28	15	15	15	23
10	23	35	4	5	28	15	55	16	24
10	27	22	5	6	29	16	35	17	25
10	31	8	6	7	♏	17	14	17	26
10	34	54	7	8	1	17	53	18	27
10	38	39	8	9	1	18	33	19	28
10	42	24	9	10	2	19	12	20	29
10	46	9	10	11	3	19	52	21	♒
10	49	53	11	11	4	20	31	21	1
10	53	36	12	12	4	21	10	22	2
10	57	20	13	13	5	21	49	23	3
11	1	3	14	14	6	22	29	24	4
11	4	46	15	15	6	23	8	25	5
11	8	28	16	16	7	23	47	25	6
11	12	10	17	16	8	24	26	26	7
11	15	52	18	17	9	25	5	27	8
11	19	33	19	18	9	25	45	28	9
11	23	15	20	19	10	26	24	29	10
11	26	56	21	20	11	27	3	30	11
11	30	37	22	21	11	27	43	♑	12
11	34	18	23	21	12	28	22	1	13
11	37	58	24	22	13	29	2	2	14
11	41	39	25	23	14	29	41	3	15
11	45	19	26	24	14	0 ♐	21	4	17
11	48	59	27	25	15	1	1	5	18
11	52	40	28	26	16	1	41	6	19
11	56	20	29	26	16	2	20	6	20
12	0	0	30	27	17	3	0	7	21

TABLES OF HOUSES FOR BUCKINGHAM, *Latitude* 51° 59′ N.

Sidereal Time. H.	M.	S.	10 ♎ °	11 ♎ °	12 ♏ °	Ascen ♐ °	′	2 ♑ °	3 ♒ °
12	0	0	0	27	17	3	0	7	21
12	3	40	1	28	18	3	41	8	22
12	7	20	2	29	19	4	21	9	23
12	11	1	3	♏	19	5	1	10	24
12	14	41	4	1	20	5	42	11	25
12	18	21	5	1	21	6	23	12	27
12	22	2	6	2	21	7	4	13	28
12	25	42	7	3	22	7	45	14	29
12	29	23	8	4	23	8	26	15	♓
12	33	4	9	5	24	9	7	16	1
12	36	45	10	5	24	9	49	17	2
12	40	27	11	6	25	10	31	18	4
12	44	8	12	7	26	11	13	19	5
12	47	50	13	8	26	11	56	20	6
12	51	32	14	9	27	12	38	21	7
12	55	14	15	10	28	13	21	22	8
12	58	57	16	10	29	14	4	23	10
13	2	40	17	11	29	14	48	24	11
13	6	24	18	12	♐	15	32	25	12
13	10	7	19	13	1	16	16	26	13
13	13	51	20	14	2	17	1	27	14
13	17	36	21	14	2	17	46	28	16
13	21	21	22	15	3	18	31	29	17
13	25	6	23	16	4	19	17	♒	18
13	28	52	24	17	5	20	3	2	19
13	32	38	25	18	5	20	49	3	21
13	36	25	26	19	6	21	36	4	22
13	40	13	27	19	7	22	24	5	23
13	44	1	28	20	8	23	12	6	25
13	47	49	29	21	8	24	1	8	26
13	51	38	30	22	9	24	50	9	27

Sidereal Time. H.	M.	S.	10 ♏ °	11 ♏ °	12 ♐ °	Ascen ♐ °	′	2 ♒ °	3 ♓ °
13	51	38	0	22	9	24	50	9	27
13	55	28	1	23	10	25	40	10	28
13	59	18	2	24	11	26	30	12	♈
14	3	8	3	24	12	27	21	13	1
14	7	0	4	25	12	28	12	14	2
14	10	52	5	26	13	29	5	16	4
14	14	44	6	27	14	29	58	17	5
14	18	37	7	28	15	0♑	52	18	6
14	22	31	8	29	16	1	46	20	8
14	26	26	9	29	16	2	41	21	9
14	30	21	10	♐	17	3	38	23	10
14	34	17	11	1	18	4	35	24	12
14	38	14	12	2	19	5	33	26	13
14	42	11	13	3	20	6	32	27	14
14	46	9	14	4	21	7	32	29	16
14	50	9	15	5	21	8	33	♓	17
14	54	7	16	5	22	9	35	2	18
14	58	8	17	6	23	10	39	3	19
15	2	8	18	7	24	11	43	5	21
15	6	10	19	8	25	12	49	7	22
15	10	12	20	9	26	13	57	9	23
15	14	16	21	10	27	15	5	10	25
15	18	19	22	11	28	16	15	12	26
15	22	24	23	12	29	17	27	14	27
15	26	29	24	13	29	18	40	15	29
15	30	35	25	13	♑	19	55	17	♉
15	34	42	26	14	1	21	12	19	1
15	38	49	27	15	2	22	31	21	3
15	42	57	28	16	3	23	51	23	4
15	47	6	29	17	4	25	13	24	5
15	51	16	30	18	5	26	38	26	6

Sidereal Time. H.	M.	S.	10 ♐ °	11 ♐ °	12 ♑ °	Ascen ♑ °	′	2 ♓ °	3 ♉ °
15	51	16	0	18	5	26	38	26	6
15	55	26	1	19	6	28	4	28	8
15	59	37	2	20	7	29	33	♈	9
16	3	48	3	21	8	1♒	5	2	10
16	8	1	4	22	9	2	38	4	11
16	12	13	5	23	10	4	15	5	13
16	16	27	6	24	11	5	54	7	14
16	20	41	7	25	13	7	35	9	15
16	24	55	8	26	14	9	20	11	16
16	29	11	9	26	15	11	7	13	18
16	33	26	10	27	16	12	57	15	19
16	37	42	11	28	17	14	51	16	20
16	41	59	12	29	18	16	47	18	21
16	46	17	13	♑	19	18	47	20	23
16	50	34	14	1	20	20	50	22	24
16	54	52	15	2	22	22	56	24	25
16	59	11	16	3	23	25	6	25	26
17	3	30	17	4	24	27	19	27	27
17	7	49	18	5	25	29	35	29	28
17	12	9	19	6	27	1♓	54	♉	♊
17	16	29	20	7	28	4	16	2	1
17	20	49	21	8	29	6	41	4	2
17	25	10	22	9	♒	9	9	6	3
17	29	30	23	10	2	11	39	7	4
17	33	51	24	12	3	14	12	9	5
17	38	13	25	13	5	16	46	10	6
17	42	34	26	14	6	19	23	12	8
17	46	55	27	15	7	22	1	14	9
17	51	17	28	16	9	24	40	15	10
17	55	38	29	17	10	27	20	17	11
18	0	0	30	18	12	30	0	18	12

Sidereal Time. H.	M.	S.	10 ♑ °	11 ♑ °	12 ♒ °	Ascen ♈ °	′	2 ♉ °	3 ♊ °
18	0	0	0	18	12	0	0	18	12
18	4	22	1	19	13	2	40	20	13
18	8	43	2	20	15	5	20	21	14
18	13	5	3	21	16	7	59	23	15
18	17	26	4	22	18	10	37	24	16
18	21	47	5	23	20	13	14	25	17
18	26	9	6	25	21	15	48	27	18
18	30	30	7	26	23	18	21	28	19
18	34	50	8	27	24	20	51	♊	21
18	39	11	9	28	26	23	19	1	22
18	43	31	10	29	28	25	44	2	23
18	47	51	11	♒	♓	28	6	3	24
18	52	11	12	2	1	0♉	25	5	25
18	56	30	13	3	3	2	41	6	26
19	0	49	14	4	5	4	54	7	27
19	5	8	15	5	6	7	4	8	28
19	9	26	16	6	8	9	10	10	29
19	13	43	17	7	10	11	13	11	♋
19	18	1	18	9	12	13	13	12	1
19	22	18	19	10	14	15	9	13	2
19	26	34	20	11	15	17	3	14	3
19	30	49	21	12	17	18	53	15	4
19	35	5	22	14	19	20	40	16	4
19	39	19	23	15	21	22	25	17	5
19	43	33	24	16	23	24	6	19	6
19	47	47	25	17	25	25	45	20	7
19	51	50	26	18	26	27	22	21	8
19	56	12	27	20	28	28	55	22	9
20	0	23	28	21	♈	0♊	27	23	10
20	4	34	29	22	2	1	56	24	11
20	8	44	30	24	4	3	22	25	12

Sidereal Time. H.	M.	S.	10 ♒ °	11 ♒ °	12 ♈ °	Ascen ♊ °	′	2 ♊ °	3 ♋ °
20	8	44	0	24	4	3	22	25	12
20	12	54	1	25	6	4	47	26	13
20	17	3	2	26	7	6	9	27	14
20	21	11	3	27	9	7	29	28	15
20	25	18	4	29	11	8	48	29	16
20	29	25	5	♓	13	10	5	♋	17
20	33	31	6	1	15	11	20	1	17
20	37	36	7	3	16	12	33	1	18
20	41	41	8	4	18	13	45	2	19
20	45	44	9	5	20	14	55	3	20
20	49	48	10	7	21	16	3	4	21
20	53	50	11	8	23	17	11	5	22
20	57	52	12	9	25	18	17	6	23
21	1	52	13	11	26	19	21	7	24
21	5	53	14	12	28	20	25	8	25
21	9	51	15	13	♉	21	27	9	25
21	13	51	16	14	1	22	28	9	26
21	17	49	17	16	3	23	28	10	27
21	21	46	18	17	4	24	27	11	28
21	25	43	19	18	6	25	25	12	29
21	29	39	20	20	7	26	22	13	♌
21	33	34	21	21	9	27	19	14	1
21	37	29	22	22	10	28	14	14	1
21	41	23	23	24	12	29	9	15	2
21	45	16	24	25	13	0♋	2	16	3
21	49	8	25	26	14	0	55	17	4
21	53	0	26	28	16	1	48	18	5
21	56	52	27	29	17	2	39	18	6
22	0	42	28	♈	18	3	30	19	6
22	4	32	29	2	20	4	20	20	7
22	8	22	30	3	21	5	10	21	8

Sidereal Time. H.	M.	S.	10 ♓ °	11 ♈ °	12 ♉ °	Ascen ♋ °	′	2 ♋ °	3 ♌ °
22	8	22	0	3	21	5	10	21	8
22	12	11	1	4	22	5	59	22	9
22	15	59	2	6	24	6	48	22	10
22	19	47	3	7	25	7	36	23	11
22	23	35	4	8	26	8	24	24	11
22	27	22	5	9	27	9	11	25	12
22	31	8	6	11	28	9	57	25	13
22	34	54	7	12	29	10	43	26	14
22	38	39	8	13	♊	11	29	27	15
22	42	24	9	14	2	12	14	28	16
22	46	9	10	16	3	12	59	28	16
22	49	53	11	17	4	13	44	29	17
22	53	36	12	18	5	14	28	♌	18
22	57	20	13	19	6	15	12	1	19
23	1	3	14	20	7	15	56	1	20
23	4	46	15	22	8	16	39	2	20
23	8	28	16	23	9	17	22	3	21
23	12	10	17	24	10	18	4	4	22
23	15	52	18	25	11	18	47	4	23
23	19	33	19	26	12	19	29	5	24
23	23	15	20	28	13	20	11	6	24
23	26	56	21	29	14	20	53	7	25
23	30	37	22	♉	15	21	34	7	26
23	34	18	23	1	16	22	15	8	27
23	37	58	24	2	17	22	56	9	28
23	41	39	25	3	18	23	37	9	29
23	45	19	26	5	19	24	18	10	29
23	48	59	27	6	20	24	59	11	♍
23	52	40	28	7	21	25	39	11	1
23	56	20	29	8	22	26	19	12	2
24	0	0	30	9	23	27	0	13	3

TABLES OF HOUSES FOR BIRMINGHAM, Latitude 52° 28′ N.

Sidereal Time H.	M.	S.	10 ♈ °	11 ♉ °	12 ♊ °	Ascen ♋ °	′	2 ♌ °	3 ♍ °
0	0	0	0	9	23	27	26	13	3
0	3	40	1	10	24	28	5	14	4
0	7	20	2	11	25	28	47	15	4
0	11	1	3	13	26	29	23	15	5
0	14	41	4	14	27	0 ♌	3	16	6
0	18	21	5	15	28	0	42	17	7
0	22	2	6	16	29	1	23	18	8
0	25	42	7	17	29	2	1	18	9
0	29	23	8	18	♋	2	41	19	9
0	33	4	9	19	1	3	20	20	10
0	36	45	10	20	2	3	58	21	11
0	40	27	11	21	3	4	38	21	12
0	44	8	12	22	4	5	17	22	13
0	47	50	13	23	4	5	55	23	14
0	51	32	14	24	5	6	34	23	14
0	55	14	15	25	6	7	13	24	15
0	58	57	16	26	7	7	53	25	16
1	2	40	17	27	8	8	31	25	17
1	6	24	18	28	8	9	9	26	18
1	10	7	19	29	9	9	48	27	19
1	13	51	20	♊	10	10	27	28	19
1	17	36	21	1	11	11	6	28	20
1	21	21	22	2	12	11	46	29	21
1	25	6	23	3	12	12	25	♍	22
1	28	52	24	4	13	13	5	1	23
1	32	38	25	5	14	13	43	1	24
1	36	25	26	6	15	14	24	2	25
1	40	13	27	7	16	15	2	3	25
1	44	1	28	8	16	15	40	3	26
1	47	49	29	9	17	16	21	4	27
1	51	38	30	10	18	17	1	5	28

Sidereal Time H.	M.	S.	10 ♉ °	11 ♊ °	12 ♋ °	Ascen ♌ °	′	2 ♍ °	3 ♍ °
1	51	38	0	10	18	17	1	5	28
1	55	28	1	11	19	17	40	6	29
1	59	18	2	12	19	18	20	6	♎
2	3	8	3	13	20	18	59	7	1
2	7	0	4	14	21	19	40	8	2
2	10	52	5	15	22	20	19	9	2
2	14	44	6	16	23	20	59	9	3
2	18	37	7	17	23	21	40	10	4
2	22	31	8	18	24	22	21	11	5
2	26	26	9	19	25	23	0	12	6
2	30	21	10	20	26	23	41	12	7
2	34	17	11	21	27	24	21	13	8
2	38	14	12	22	27	25	3	14	9
2	42	11	13	23	28	25	43	15	10
2	46	9	14	23	29	26	24	16	10
2	50	9	15	24	♌	27	5	16	11
2	54	7	16	25	0	27	47	17	12
2	58	8	17	26	1	28	28	18	13
3	2	8	18	27	2	29	9	19	14
3	6	10	19	28	3	29	52	19	15
3	10	12	20	29	4	0 ♍	33	20	16
3	14	16	21	♋	4	1	15	21	17
3	18	19	22	1	5	1	57	22	18
3	22	24	23	2	6	2	39	23	19
3	26	29	24	3	7	3	21	23	20
3	30	35	25	4	8	4	5	24	20
3	34	42	26	5	8	4	47	25	21
3	38	49	27	6	9	5	30	26	22
3	42	57	28	7	10	6	13	27	23
3	47	6	29	7	11	6	56	27	24
3	51	16	30	8	12	7	38	28	25

Sidereal Time H.	M.	S.	10 ♊ °	11 ♋ °	12 ♌ °	Ascen ♍ °	′	2 ♍ °	3 ♎ °
3	51	16	0	8	12	7	38	28	25
3	55	26	1	9	12	8	21	29	26
3	59	37	2	10	13	9	4	♎	27
4	3	48	3	11	14	9	49	1	28
4	8	1	4	12	15	10	32	2	29
4	12	13	5	13	16	11	17	2	♏
4	16	27	6	14	17	12	0	3	1
4	20	41	7	15	17	12	43	4	2
4	24	55	8	16	18	13	27	5	3
4	29	11	9	17	19	14	12	6	4
4	33	26	10	18	20	14	56	7	4
4	37	42	11	19	21	15	41	7	5
4	41	59	12	20	21	16	26	8	6
4	46	17	13	20	22	17	11	9	7
4	50	34	14	21	23	17	55	10	8
4	54	52	15	22	24	18	41	11	9
4	59	11	16	23	25	19	24	12	10
5	3	30	17	24	26	20	10	13	11
5	7	49	18	25	26	20	55	13	12
5	12	9	19	26	27	21	40	14	13
5	16	29	20	27	28	22	26	15	14
5	20	49	21	28	29	23	11	16	15
5	25	10	22	29	♍	23	56	17	16
5	29	30	23	♌	1	24	41	18	17
5	33	51	24	1	1	25	27	18	18
5	38	13	25	2	2	26	11	19	19
5	42	34	26	3	3	26	57	20	20
5	46	55	27	4	4	27	43	21	21
5	51	17	28	5	5	28	29	22	22
5	55	38	29	6	6	29	15	23	23
6	0	0	30	7	7	30	0	23	23

Sidereal Time H.	M.	S.	10 ♋ °	11 ♌ °	12 ♍ °	Ascen ♎ °	′	2 ♎ °	3 ♏ °
6	0	0	0	7	7	0	0	23	23
6	4	22	1	7	7	0	45	24	24
6	8	43	2	8	8	1	31	25	25
6	13	5	3	9	9	2	17	26	26
6	17	26	4	10	10	3	3	27	27
6	21	47	5	11	11	3	47	28	28
6	26	9	6	12	12	4	33	29	29
6	30	30	7	13	12	5	19	29	♐
6	34	50	8	14	13	6	4	♏	1
6	39	11	9	15	14	6	49	1	2
6	43	31	10	16	15	7	34	2	3
6	47	51	11	17	16	8	20	3	4
6	52	11	12	18	17	9	5	4	5
6	56	30	13	19	18	9	50	4	6
7	0	49	14	20	18	10	36	5	7
7	5	8	15	21	19	11	19	6	8
7	9	26	16	22	20	12	5	7	9
7	13	43	17	23	21	12	49	8	10
7	18	1	18	24	22	13	34	9	10
7	22	18	19	25	23	14	19	9	11
7	26	34	20	25	23	15	4	10	12
7	30	49	21	26	24	15	48	11	13
7	35	5	22	27	25	16	33	12	14
7	39	19	23	28	26	17	17	13	15
7	43	33	24	29	27	18	0	14	16
7	47	47	25	♍	28	18	43	14	17
7	51	59	26	1	28	19	28	15	18
7	56	12	27	2	29	20	11	16	19
8	0	23	28	3	♎	20	56	17	20
8	4	34	29	4	1	21	39	18	21
8	8	44	30	5	2	22	22	18	22

Sidereal Time H.	M.	S.	10 ♌ °	11 ♍ °	12 ♎ °	Ascen ♎ °	′	2 ♏ °	3 ♐ °
8	8	44	0	5	2	22	22	18	22
8	12	54	1	6	3	23	4	19	23
8	17	3	2	7	3	23	47	20	23
8	21	11	3	8	4	24	30	21	24
8	25	19	4	9	5	25	13	22	25
8	29	25	5	9	6	25	55	22	26
8	33	31	6	10	7	26	39	23	27
8	37	36	7	11	7	27	21	24	28
8	41	41	8	12	8	28	3	25	29
8	45	44	9	13	9	28	45	26	♑
8	49	48	10	14	10	29	27	26	1
8	53	50	11	15	11	0 ♏	8	27	2
8	57	52	12	16	11	0	51	28	3
9	1	52	13	17	12	1	32	29	4
9	5	53	14	18	13	2	13	♐	5
9	9	51	15	19	14	2	55	0	6
9	13	51	16	20	14	3	36	1	6
9	17	49	17	20	15	4	17	2	7
9	21	46	18	21	16	4	57	3	8
9	25	43	19	22	17	5	39	3	9
9	29	39	20	23	18	6	19	4	10
9	33	34	21	24	18	7	0	5	11
9	37	29	22	25	19	7	39	6	12
9	41	23	23	26	20	8	20	7	13
9	45	16	24	27	21	9	1	7	14
9	49	8	25	28	21	9	41	8	15
9	53	0	26	28	22	10	20	9	16
9	56	52	27	29	23	11	1	10	17
10	0	42	28	♎	24	11	40	10	18
10	4	32	29	1	24	12	20	11	19
10	8	22	30	2	25	12	59	12	20

Sidereal Time H.	M.	S.	10 ♍ °	11 ♎ °	12 ♎ °	Ascen ♏ °	′	2 ♐ °	3 ♑ °
10	8	22	0	2	25	12	59	12	20
10	12	11	1	3	26	13	39	13	21
10	15	59	2	4	27	14	19	14	22
10	19	47	3	5	27	14	58	14	23
10	23	35	4	5	28	15	36	15	24
10	27	22	5	6	29	16	16	16	25
10	31	8	6	7	♏	16	55	17	26
10	34	54	7	8	0	17	35	18	27
10	38	39	8	9	1	18	14	18	28
10	42	24	9	10	2	18	54	19	29
10	46	9	10	11	2	19	33	20	♒
10	49	53	11	11	3	20	12	21	1
10	53	36	12	12	4	20	51	22	2
10	57	20	13	13	5	21	29	22	3
11	1	3	14	14	5	22	7	23	4
11	4	46	15	15	6	22	47	24	5
11	8	28	16	16	7	23	26	25	6
11	12	10	17	16	7	24	5	26	7
11	15	52	18	17	8	24	43	26	8
11	19	33	19	18	9	25	22	27	9
11	23	15	20	19	10	26	2	28	10
11	26	56	21	20	10	26	40	29	11
11	30	37	22	21	11	27	19	♑	12
11	34	18	23	21	12	27	59	1	13
11	37	58	24	22	12	28	38	1	14
11	41	39	25	23	13	29	18	2	15
11	45	19	26	24	14	29	57	3	17
11	48	59	27	25	14	0 ♐	37	4	18
11	52	40	28	25	15	1	16	5	19
11	56	20	29	26	16	1	55	6	20
12	0	0	30	27	17	2	34	7	21

TABLES OF HOUSES FOR BIRMINGHAM, Latitude 52° 28′ N.

Sidereal Time H.	M.	S.	10 ♎ °	11 ♎ °	12 ♏ °	Ascen ♐ °	′	2 ♑ °	3 ♒ °
12	0	0	0	27	17	2	34	7	21
12	3	40	1	28	17	3	15	8	22
12	7	20	2	29	18	3	54	8	23
12	11	1	3	♏	19	4	35	9	24
12	14	41	4	0	20	5	15	10	25
12	18	21	5	1	20	5	55	11	26
12	22	2	6	2	21	6	36	12	28
12	25	42	7	3	22	7	16	13	29
12	29	23	8	4	22	7	58	14	♓
12	33	4	9	4	23	8	39	15	1
12	36	45	10	5	24	9	20	16	2
12	40	27	11	6	25	10	1	17	3
12	44	8	12	7	25	10	44	18	5
12	47	50	13	8	26	11	25	19	6
12	51	32	14	9	27	12	8	20	7
12	55	14	15	9	27	12	50	21	8
12	58	57	16	10	28	13	33	22	9
13	2	40	17	11	29	14	17	23	11
13	6	24	18	12	♐	15	0	24	12
13	10	7	19	13	0	15	44	25	13
13	13	51	20	13	1	16	28	26	14
13	17	36	21	14	2	17	12	27	16
13	21	21	22	15	3	17	57	29	17
13	25	6	23	16	3	18	43	♒	18
13	28	52	24	17	4	19	28	1	19
13	32	38	25	18	5	20	14	2	21
13	36	25	26	18	6	21	1	3	22
13	40	13	27	19	6	21	48	4	23
13	44	1	28	20	7	22	35	6	25
13	47	49	29	21	8	23	24	7	26
13	51	38	30	22	9	24	13	8	27

Sidereal Time H.	M.	S.	10 ♏ °	11 ♏ °	12 ♐ °	Ascen ♐ °	′	2 ♒ °	3 ♓ °
13	51	38	0	22	9	24	13	8	27
13	55	28	1	23	9	25	2	10	28
13	59	18	2	23	10	25	52	11	♈
14	3	8	3	24	11	26	41	12	1
14	7	0	4	25	12	27	33	14	2
14	10	52	5	26	13	28	25	15	4
14	14	44	6	27	13	29	18	16	5
14	18	37	7	28	14	0 ♑	11	18	6
14	22	31	8	28	15	1	5	19	8
14	26	26	9	29	16	2	1	20	9
14	30	21	10	♐	17	2	56	22	10
14	34	17	11	1	17	3	52	24	12
14	38	14	12	2	18	4	50	25	13
14	42	11	13	3	19	5	49	27	14
14	46	9	14	3	20	6	48	28	16
14	50	9	15	4	21	7	49	♓	17
14	54	7	16	5	22	8	51	1	18
14	58	8	17	6	22	9	54	3	20
15	2	8	18	7	23	10	58	5	21
15	6	10	19	8	24	12	4	6	22
15	10	12	20	9	25	13	10	8	24
15	14	16	21	10	26	14	18	10	25
15	18	19	22	10	27	15	28	12	26
15	22	24	23	11	28	16	39	13	27
15	26	29	24	12	29	17	52	15	29
15	30	35	25	13	♑	19	6	17	♉
15	34	42	26	14	1	20	23	19	1
15	38	49	27	15	2	21	41	21	3
15	42	57	28	16	3	23	0	22	4
15	47	6	29	17	4	24	23	24	5
15	51	16	30	18	5	25	47	26	7

Sidereal Time H.	M.	S.	10 ♐ °	11 ♐ °	12 ♑ °	Ascen ♑ °	′	2 ♓ °	3 ♉ °
15	51	16	0	18	5	25	47	26	7
15	55	26	1	19	6	27	15	28	8
15	59	37	2	20	7	28	42	♈	9
16	3	48	3	20	8	0 ♒	13	2	10
16	8	1	4	21	9	1	48	4	12
16	12	13	5	22	10	3	25	5	13
16	16	27	6	23	11	5	3	7	14
16	20	41	7	24	12	6	44	9	15
16	24	55	8	25	13	8	29	11	17
16	29	11	9	26	14	10	17	13	18
16	33	26	10	27	15	12	8	15	19
16	37	42	11	28	16	14	3	17	20
16	41	59	12	29	17	15	59	18	21
16	46	17	13	♑	19	18	1	20	22
16	50	34	14	1	20	20	5	22	23
16	54	52	15	2	21	22	13	24	24
16	59	11	16	3	22	24	23	26	25
17	3	30	17	4	23	26	38	28	27
17	7	49	18	5	25	28	56	29	28
17	12	9	19	6	26	1 ♓	18	♉	♊
17	16	29	20	7	27	3	42	3	1
17	20	49	21	8	29	6	10	4	2
17	25	10	22	9	♒	8	40	6	3
17	29	30	23	10	1	11	13	8	4
17	33	51	24	11	3	13	50	9	6
17	38	13	25	12	4	16	28	11	7
17	42	34	26	13	5	19	7	13	8
17	46	55	27	14	7	21	50	14	9
17	51	17	28	16	8	24	32	16	10
17	55	38	29	17	10	27	17	17	11
18	0	0	30	18	11	30	0	19	12

Sidereal Time H.	M.	S.	10 ♑ °	11 ♑ °	12 ♒ °	Ascen ♈ °	′	2 ♉ °	3 ♊ °
18	0	0	0	18	11	0	0	19	12
18	4	22	1	19	13	2	43	20	13
18	8	43	2	20	14	5	28	22	14
18	13	5	3	21	16	8	10	23	16
18	17	26	4	22	17	10	53	25	17
18	21	47	5	23	19	13	32	26	18
18	26	9	6	24	21	16	10	28	19
18	30	30	7	26	22	18	47	29	20
18	34	50	8	27	24	21	20	♊	21
18	39	11	9	28	26	23	50	1	22
18	43	31	10	29	27	26	18	3	23
18	47	51	11	♒	29	28	42	4	24
18	52	11	12	1	♓	1 ♉	4	5	25
18	56	30	13	2	3	3	22	7	26
19	0	49	14	4	4	5	37	8	27
19	5	8	15	5	6	7	47	9	28
19	9	26	16	6	8	9	55	10	29
19	13	43	17	7	10	11	59	11	♋
19	18	1	18	8	12	14	1	13	1
19	22	18	19	10	13	15	57	14	2
19	26	34	20	11	15	17	52	15	3
19	30	49	21	12	17	19	43	16	4
19	35	5	22	13	19	21	31	17	5
19	39	19	23	15	21	23	16	18	6
19	43	33	24	16	23	24	57	19	7
19	47	47	25	17	25	26	35	20	8
19	51	59	26	19	26	28	12	21	9
19	56	12	27	20	28	29	47	22	9
20	0	23	28	21	♈	1 ♊	18	23	10
20	4	34	29	22	2	2	45	24	11
20	8	44	30	23	4	4	13	25	12

Sidereal Time H.	M.	S.	10 ♒ °	11 ♒ °	12 ♈ °	Ascen ♊ °	′	2 ♊ °	3 ♋ °
20	8	44	0	23	4	4	13	25	12
20	12	54	1	25	6	5	37	26	13
20	17	3	2	26	8	7	0	27	14
20	21	11	3	27	9	8	19	28	15
20	25	18	4	28	11	9	37	29	16
20	29	25	5	♓	13	10	54	♋	17
20	33	31	6	1	15	12	8	1	18
20	37	36	7	3	17	13	21	2	19
20	41	41	8	4	18	14	32	3	20
20	45	44	9	5	20	15	42	4	20
20	49	48	10	6	22	16	50	5	21
20	53	50	11	8	24	17	56	6	22
20	57	52	12	9	25	19	2	7	23
21	1	52	13	10	27	20	6	7	24
21	5	53	14	12	28	21	9	8	25
21	9	51	15	13	♉	22	11	9	26
21	13	51	16	14	2	23	12	10	27
21	17	49	17	15	3	24	11	11	27
21	21	46	18	17	5	25	10	12	28
21	25	43	19	18	6	26	8	13	29
21	29	39	20	19	8	27	4	13	♌
21	33	34	21	20	9	27	59	14	1
21	37	29	22	22	11	28	55	15	2
21	41	23	23	23	12	29	49	16	2
21	45	16	24	25	14	0 ♋	42	17	3
21	49	8	25	26	15	1	35	17	4
21	53	0	26	28	16	2	27	18	5
21	56	52	27	29	18	3	19	19	6
22	0	42	28	♈	19	4	8	20	7
22	4	32	29	2	20	4	58	21	8
22	8	22	30	3	22	5	47	21	8

Sidereal Time H.	M.	S.	10 ♓ °	11 ♈ °	12 ♉ °	Ascen ♋ °	′	2 ♋ °	3 ♌ °
22	8	22	0	3	22	5	47	21	8
22	12	11	1	4	23	6	36	22	9
22	15	59	2	5	24	7	25	23	10
22	19	47	3	7	25	8	12	24	11
22	23	35	4	8	27	8	59	24	12
22	27	22	5	9	28	9	46	25	12
22	31	8	6	11	29	10	32	26	13
22	34	54	7	12	♊	11	17	27	14
22	38	39	8	13	1	12	3	27	15
22	42	24	9	14	3	12	48	28	16
22	46	9	10	16	4	13	32	29	17
22	49	53	11	17	5	14	16	♌	17
22	53	36	12	18	6	15	0	0	18
22	57	20	13	19	7	15	43	1	19
23	1	3	14	21	8	16	27	2	20
23	4	46	15	22	9	17	10	3	21
23	8	28	16	23	10	17	52	3	21
23	12	10	17	24	11	18	35	4	22
23	15	52	18	25	12	19	16	5	23
23	19	33	19	27	13	19	59	5	24
23	23	15	20	28	14	20	40	6	25
23	26	56	21	29	15	21	21	7	26
23	30	37	22	♉	16	22	2	8	26
23	34	18	23	1	17	22	44	8	27
23	37	58	24	2	18	23	24	9	28
23	41	39	25	3	19	24	5	10	29
23	45	19	26	4	20	24	45	10	♍
23	48	59	27	5	21	25	25	11	0
23	52	40	28	6	22	26	6	12	1
23	56	20	29	7	22	26	45	13	2
24	0	0	30	9	23	27	26	13	3

TABLES OF HOUSES FOR NOTTINGHAM, Latitude 52° 57′ N.

Sidereal Time H.	M.	S.	10 ♈ °	11 ♉ °	12 ♊ °	Ascen ♋ °	′	2 ♌ °	3 ♍ °
0	0	0	0	9	24	27	48	14	3
0	3	40	1	11	25	28	27	14	4
0	7	20	2	12	26	29	7	15	5
0	11	1	3	13	27	29	46	16	5
0	14	41	4	14	28	0 ♌	25	17	6
0	18	21	5	15	29	1	4	17	7
0	22	2	6	16	29	1	43	18	8
0	25	42	7	17	♋	2	22	19	9
0	29	23	8	18	1	3	1	20	10
0	33	4	9	19	2	3	40	20	10
0	36	45	10	20	3	4	19	21	11
0	40	27	11	21	4	4	57	22	12
0	44	8	12	22	4	5	36	22	13
0	47	50	13	23	5	6	15	23	14
0	51	32	14	24	6	6	54	24	15
0	55	14	15	26	7	7	32	24	15
0	58	57	16	27	8	8	11	25	16
1	2	40	17	28	9	8	50	26	17
1	6	24	18	29	9	9	29	26	18
1	10	7	19	♊	10	10	7	27	19
1	13	51	20	1	11	10	46	28	20
1	17	36	21	2	12	11	25	29	20
1	21	21	22	3	12	12	4	29	21
1	25	6	23	4	13	12	42	♍	22
1	28	52	24	5	14	13	21	1	23
1	32	38	25	6	15	14	0	1	24
1	36	25	26	7	16	14	39	2	25
1	40	13	27	8	16	15	18	3	26
1	44	1	28	8	17	15	58	4	26
1	47	49	29	9	18	16	37	4	27
1	51	38	30	10	19	17	16	5	28

Sidereal Time H.	M.	S.	10 ♉ °	11 ♊ °	12 ♋ °	Ascen ♌ °	′	2 ♍ °	3 ♍ °
1	51	38	0	10	19	17	16	5	28
1	55	28	1	11	19	17	56	6	29
1	59	18	2	12	20	18	35	7	♎
2	3	8	3	13	21	19	15	7	1
2	7	0	4	14	22	19	54	8	2
2	10	52	5	15	23	20	34	9	2
2	14	44	6	16	23	21	14	10	3
2	18	37	7	17	24	21	54	10	4
2	22	31	8	18	25	22	34	11	5
2	26	26	9	19	26	23	14	12	6
2	30	21	10	20	26	23	54	13	7
2	34	17	11	21	27	24	35	13	8
2	38	14	12	22	28	25	15	14	9
2	42	11	13	23	29	25	56	15	10
2	46	9	14	24	30	26	37	16	11
2	50	9	15	25	♌	27	17	16	11
2	54	7	16	26	1	27	58	17	12
2	58	8	17	27	2	28	40	18	13
3	2	8	18	27	3	29	21	19	14
3	6	10	19	28	3	0 ♍	2	20	15
3	10	12	20	29	4	0	44	20	16
3	14	16	21	♋	5	1	25	21	17
3	18	19	22	1	6	2	7	22	18
3	22	24	23	2	7	2	49	23	19
3	26	29	24	3	7	3	31	24	20
3	30	35	25	4	8	4	14	24	20
3	34	42	26	5	9	4	56	25	21
3	38	49	27	6	10	5	38	26	22
3	42	57	28	7	11	6	21	27	23
3	47	6	29	8	11	7	4	28	24
3	51	16	30	9	12	7	47	28	25

Sidereal Time H.	M.	S.	10 ♊ °	11 ♋ °	12 ♌ °	Ascen ♍ °	′	2 ♍ °	3 ♎ °
3	51	16	0	9	12	7	47	28	25
3	55	26	1	10	13	8	30	29	26
3	59	37	2	10	14	9	13	♎	27
4	3	48	3	11	15	9	56	1	28
4	8	1	4	12	15	10	39	2	29
4	12	13	5	13	16	11	23	2	♏
4	16	27	6	14	17	12	7	3	1
4	20	41	7	15	18	12	50	4	2
4	24	55	8	16	19	13	34	5	3
4	29	11	9	17	19	14	18	6	3
4	33	26	10	18	20	15	2	6	4
4	37	42	11	19	21	15	46	7	5
4	41	59	12	20	22	16	31	8	6
4	46	17	13	21	23	17	15	9	7
4	50	34	14	22	23	18	0	10	8
4	54	52	15	23	24	18	44	11	9
4	59	11	16	23	25	19	29	11	10
5	3	30	17	24	26	20	14	12	11
5	7	49	18	25	27	20	58	13	12
5	12	9	19	26	28	21	43	14	13
5	16	29	20	27	28	22	28	15	14
5	20	49	21	28	29	23	13	16	15
5	25	10	22	29	♍	23	58	17	16
5	29	30	23	♌	1	24	43	17	17
5	33	51	24	1	2	25	29	18	18
5	38	13	25	2	3	26	14	19	19
5	42	34	26	3	3	26	59	20	20
5	46	55	27	4	4	27	44	21	21
5	51	17	28	5	5	28	29	22	21
5	55	38	29	6	6	29	15	22	22
6	0	0	30	7	7	30	0	23	23

Sidereal Time H.	M.	S.	10 ♋ °	11 ♌ °	12 ♍ °	Ascen ♎ °	′	2 ♎ °	3 ♏ °
6	0	0	0	7	7	0	0	23	23
6	4	22	1	8	8	0	45	24	24
6	8	43	2	9	8	1	31	25	25
6	13	5	3	9	9	2	16	26	26
6	17	26	4	10	10	3	1	27	27
6	21	47	5	11	11	3	46	27	28
6	26	9	6	12	12	4	31	28	29
6	30	30	7	13	13	5	17	29	♐
6	34	50	8	14	13	6	2	♏	1
6	39	11	9	15	14	6	47	1	2
6	43	31	10	16	15	7	32	2	3
6	47	51	11	17	16	8	17	2	4
6	52	11	12	18	17	9	2	3	5
6	56	30	13	19	18	9	46	4	6
7	0	49	14	20	19	10	31	5	7
7	5	8	15	21	19	11	16	6	7
7	9	26	16	22	20	12	0	7	8
7	13	43	17	23	21	12	45	7	9
7	18	1	18	24	22	13	29	8	10
7	22	18	19	25	23	14	14	9	11
7	26	34	20	26	24	14	58	10	12
7	30	49	21	27	24	15	42	11	13
7	35	5	22	27	25	16	26	11	14
7	39	19	23	28	26	17	10	12	15
7	43	33	24	29	27	17	53	13	16
7	47	47	25	♍	28	18	37	14	17
7	51	59	26	1	28	19	21	15	18
7	56	12	27	2	29	20	4	15	19
8	0	23	28	3	♎	20	47	16	20
8	4	34	29	4	1	21	30	17	20
8	8	44	30	5	2	22	13	18	21

Sidereal Time H.	M.	S.	10 ♌ °	11 ♍ °	12 ♎ °	Ascen ♎ °	′	2 ♏ °	3 ♐ °
8	8	44	0	5	2	22	13	18	21
8	12	54	1	6	2	22	56	19	22
8	17	3	2	7	3	23	39	19	23
8	21	11	3	8	4	24	22	20	24
8	25	19	4	9	5	25	4	21	25
8	29	25	5	10	6	25	46	22	26
8	33	31	6	10	7	26	29	23	27
8	37	36	7	11	7	27	11	23	28
8	41	41	8	12	8	27	53	24	29
8	45	44	9	13	9	28	35	25	♑
8	49	48	10	14	10	29	16	26	1
8	53	50	11	15	10	29	58	27	2
8	57	52	12	16	11	0 ♏	39	27	3
9	1	52	13	17	12	1	20	28	4
9	5	53	14	18	13	2	2	29	4
9	9	51	15	19	13	2	43	♐	5
9	13	51	16	20	14	3	23	1	6
9	17	49	17	20	15	4	4	1	7
9	21	46	18	21	16	4	45	2	8
9	25	43	19	22	17	5	25	3	9
9	29	39	20	23	17	6	6	4	10
9	33	34	21	24	18	6	46	4	11
9	37	29	22	25	19	7	26	5	12
9	41	23	23	26	20	8	6	6	13
9	45	16	24	27	20	8	46	7	14
9	49	8	25	28	21	9	26	7	15
9	53	0	26	28	22	10	6	8	16
9	56	52	27	29	23	10	45	9	17
10	0	42	28	♎	23	11	25	10	18
10	4	32	29	1	24	12	4	11	19
10	8	22	30	2	25	12	44	11	20

Sidereal Time H.	M.	S.	10 ♍ °	11 ♎ °	12 ♎ °	Ascen ♏ °	′	2 ♐ °	3 ♑ °
10	8	22	0	2	25	12	44	11	20
10	12	11	1	3	26	13	23	12	21
10	15	59	2	4	26	14	2	13	22
10	19	47	3	4	27	14	42	14	23
10	23	35	4	5	28	15	21	14	23
10	27	22	5	6	28	16	0	15	24
10	31	8	6	7	29	16	39	16	25
10	34	54	7	8	♏	17	18	17	26
10	38	39	8	9	1	17	56	18	27
10	42	24	9	10	1	18	35	18	28
10	46	9	10	10	2	19	14	19	29
10	49	53	11	11	3	19	53	20	♒
10	53	36	12	12	4	20	32	21	1
10	57	20	13	13	4	21	10	21	2
11	1	3	14	14	5	21	49	22	3
11	4	46	15	15	6	22	28	23	4
11	8	28	16	16	6	23	6	24	6
11	12	10	17	16	7	23	45	25	7
11	15	52	18	17	8	24	24	26	8
11	19	33	19	18	8	25	3	26	9
11	23	15	20	19	9	25	41	27	10
11	26	56	21	20	10	26	20	28	11
11	30	37	22	20	11	26	59	29	12
11	34	18	23	21	11	27	38	♑	13
11	37	58	24	22	12	28	17	1	14
11	41	39	25	23	13	28	56	1	15
11	45	19	26	24	13	29	35	2	16
11	48	59	27	25	14	0 ♐	14	3	17
11	52	40	28	25	15	0	53	4	18
11	56	20	29	26	16	1	33	5	19
12	0	0	30	27	16	2	12	6	21

TABLES OF HOUSES FOR NOTTINGHAM, *Latitude* 52° 57′ N.

Sidereal Time. H.	M.	S.	10 ♎ °	11 ♎ °	12 ♏ °	Ascen ♐ °	′	2 ♑ °	3 ♒ °
12	0	0	0	27	16	2	12	6	21
12	3	40	1	28	17	2	52	7	22
12	7	20	2	29	18	3	31	8	23
12	11	1	3	29	18	4	11	8	24
12	14	41	4	♏	19	4	51	9	25
12	18	21	5	1	20	5	31	10	26
12	22	2	6	2	20	6	12	11	27
12	25	42	7	3	21	6	52	12	29
12	29	23	8	4	22	7	33	13	♓
12	33	4	9	4	23	8	13	14	1
12	36	45	10	5	23	8	55	15	2
12	40	27	11	6	24	9	36	16	3
12	44	8	12	7	25	10	17	17	5
12	47	50	13	8	25	10	59	18	6
12	51	32	14	8	26	11	41	19	7
12	55	14	15	9	27	12	23	20	8
12	58	57	16	10	28	13	6	21	9
13	2	40	17	11	28	13	49	22	11
13	6	24	18	12	29	14	32	23	12
13	10	7	19	13	30	15	16	24	13
13	13	51	20	13	♐	15	59	25	14
13	17	36	21	14	1	16	44	27	16
13	21	21	22	15	2	17	28	28	17
13	25	6	23	16	3	18	13	29	18
13	28	52	24	17	3	18	59	♒	19
13	32	38	25	17	4	19	44	1	21
13	36	25	26	18	5	20	31	2	23
13	40	13	27	19	6	21	18	4	24
13	44	1	28	20	7	22	5	5	25
13	47	49	29	21	7	22	53	6	26
13	51	38	30	22	8	23	41	7	27

Sidereal Time. H.	M.	S.	10 ♏ °	11 ♏ °	12 ♐ °	Ascen ♐ °	′	2 ♒ °	3 ♓ °
13	51	38	0	22	8	23	41	7	27
13	55	28	1	22	9	24	30	9	28
13	59	18	2	23	9	25	19	10	♈
14	3	8	3	24	10	26	10	11	1
14	7	0	4	25	11	27	0	13	2
14	10	52	5	26	12	27	52	14	4
14	14	44	6	27	13	28	44	15	5
14	18	37	7	27	13	29	37	17	6
14	22	31	8	28	14	0 ♑	31	18	8
14	26	26	9	29	15	1	25	20	9
14	30	21	10	♐	16	2	20	21	10
14	34	17	11	1	17	3	17	23	12
14	38	14	12	2	17	4	14	24	13
14	42	11	13	2	18	5	12	26	14
14	46	9	14	3	19	6	11	27	16
14	50	9	15	4	20	7	11	29	17
14	54	7	16	5	21	8	13	♓	18
14	58	8	17	6	22	9	15	2	20
15	2	8	18	7	23	10	19	4	21
15	6	10	19	8	23	11	24	6	22
15	10	12	20	9	24	12	30	8	24
15	14	16	21	9	25	13	38	9	25
15	18	19	22	10	26	14	47	11	26
15	22	24	23	11	27	15	58	13	28
15	26	29	24	12	28	17	11	15	29
15	30	35	25	13	29	18	25	17	♉
15	34	42	26	14	♑	19	41	18	2
15	38	49	27	15	1	20	59	20	3
15	42	57	28	16	2	22	19	22	4
15	47	6	29	17	3	23	40	24	5
15	51	16	30	18	4	25	4	26	7

Sidereal Time. H.	M.	S.	10 ♐ °	11 ♐ °	12 ♑ °	Ascen ♑ °	′	2 ♓ °	3 ♉ °
15	51	16	0	18	4	25	4	26	7
15	55	26	1	18	5	26	31	28	8
15	59	37	2	19	6	27	59	♈	9
16	3	48	3	20	7	29	30	2	11
16	8	1	4	21	8	1 ♒	4	4	12
16	12	13	5	22	9	2	40	6	13
16	16	27	6	23	10	4	19	8	14
16	20	41	7	24	11	6	1	9	16
16	24	55	8	25	12	7	47	11	17
16	29	11	9	26	13	9	35	13	18
16	33	26	10	27	14	11	26	15	19
16	37	42	11	28	15	13	21	17	21
16	41	59	12	29	16	15	19	19	22
16	46	17	13	♑	18	17	20	21	23
16	50	34	14	1	19	19	26	23	24
16	54	52	15	2	20	21	34	25	25
16	59	11	16	3	21	23	47	27	27
17	3	30	17	4	22	26	3	28	28
17	7	49	18	5	24	28	22	♉	29
17	12	9	19	6	25	0 ♓	45	2	♊
17	16	29	20	7	26	3	12	3	1
17	20	49	21	8	27	5	42	5	2
17	25	10	22	9	29	8	15	7	4
17	29	30	23	10	♒	10	51	9	5
17	33	51	24	11	1	13	30	10	6
17	38	13	25	12	3	16	11	12	7
17	42	34	26	13	4	18	54	14	8
17	46	55	27	14	6	21	39	15	9
17	51	17	28	15	7	24	25	17	10
17	55	38	29	16	9	27	12	18	11
18	0	0	30	17	10	30	0	20	13

Sidereal Time. H.	M.	S.	10 ♑ °	11 ♑ °	12 ♒ °	Ascen ♈ °	′	2 ♉ °	3 ♊ °
18	0	0	0	17	10	0	0	20	13
18	4	22	1	19	12	2	48	21	14
18	8	43	2	20	13	5	35	23	15
18	13	5	3	21	15	8	21	24	16
18	17	26	4	22	16	11	6	26	17
18	21	47	5	23	18	13	49	27	18
18	26	9	6	24	20	16	30	28	19
18	30	30	7	25	21	19	9	♊	20
18	34	50	8	26	23	21	45	1	21
18	39	11	9	28	25	24	18	3	22
18	43	31	10	29	27	26	48	4	23
18	47	51	11	♒	28	29	15	5	24
18	52	11	12	1	♓	1 ♉	38	6	25
18	56	30	13	2	2	3	57	8	26
19	0	49	14	3	3	6	13	9	27
19	5	8	15	5	5	8	26	10	28
19	9	26	16	6	7	10	34	11	29
19	13	43	17	7	9	12	40	12	♋
19	18	1	18	8	11	14	41	14	1
19	22	18	19	9	13	16	39	15	2
19	26	34	20	11	15	18	34	16	3
19	30	49	21	12	17	20	25	17	4
19	35	5	22	13	19	22	13	18	5
19	39	19	23	14	21	23	59	19	6
19	43	33	24	16	22	25	41	20	7
19	47	47	25	17	24	27	20	21	8
19	51	59	26	18	26	28	56	22	9
19	56	12	27	19	28	0 ♊	30	23	10
20	0	23	28	21	♈	2	1	24	11
20	4	34	29	22	2	3	29	25	12
20	8	44	30	23	4	4	56	26	12

Sidereal Time. H.	M.	S.	10 ♒ °	11 ♒ °	12 ♈ °	Ascen ♊ °	′	2 ♊ °	3 ♋ °
20	8	44	0	23	4	4	56	26	12
20	12	54	1	24	6	6	20	27	13
20	17	3	2	26	8	7	41	28	14
20	21	11	3	27	10	9	1	29	15
20	25	18	4	28	12	10	19	♋	16
20	29	25	5	♓	13	11	35	1	17
20	33	31	6	1	15	12	49	2	18
20	37	36	7	2	17	14	2	3	19
20	41	41	8	4	19	15	12	4	20
20	45	44	9	5	21	16	22	5	21
20	49	48	10	6	22	17	30	6	21
20	53	50	11	8	24	18	36	7	22
20	57	52	12	9	26	19	41	7	23
21	1	52	13	10	28	20	45	8	24
21	5	53	14	12	29	21	47	9	25
21	9	51	15	13	♉	22	49	10	26
21	13	51	16	14	2	23	49	11	27
21	17	49	17	16	4	24	48	12	28
21	21	46	18	17	6	25	46	13	28
21	25	43	19	18	7	26	43	13	29
21	29	39	20	20	9	27	40	14	♌
21	33	34	21	21	10	28	35	15	1
21	37	29	22	22	12	29	29	16	2
21	41	23	23	24	13	0 ♋	23	17	3
21	45	16	24	25	15	1	16	17	3
21	49	8	25	26	16	2	8	18	4
21	53	0	26	28	17	3	0	19	5
21	56	52	27	29	19	3	50	20	6
22	0	42	28	♈	20	4	41	21	7
22	4	32	29	2	21	5	30	21	8
22	8	22	30	3	23	6	19	22	8

Sidereal Time. H.	M.	S.	10 ♓ °	11 ♈ °	12 ♉ °	Ascen ♋ °	′	2 ♋ °	3 ♌ °
22	8	22	0	3	23	6	19	22	8
22	12	11	1	4	24	7	7	23	9
22	15	59	2	6	25	7	55	24	10
22	19	47	3	7	27	8	42	24	11
22	23	35	4	8	28	9	29	25	12
22	27	22	5	9	29	10	16	26	13
22	31	8	6	11	♊	11	1	27	13
22	34	54	7	12	1	11	47	27	14
22	38	39	8	13	2	12	32	28	15
22	42	24	9	14	3	13	16	29	16
22	46	9	10	16	5	14	1	30	17
22	49	53	11	17	6	14	44	♌	17
22	53	36	12	18	7	15	28	1	18
22	57	20	13	19	8	16	11	2	19
23	1	3	14	21	9	16	54	2	20
23	4	46	15	22	10	17	37	3	21
23	8	28	16	23	11	18	19	4	22
23	12	10	17	24	12	19	1	5	22
23	15	52	18	26	13	19	43	5	23
23	19	33	19	27	14	20	24	6	24
23	23	15	20	28	15	21	5	7	25
23	26	56	21	29	16	21	47	7	26
23	30	37	22	♉	17	22	27	8	26
23	34	18	23	1	18	23	8	9	27
23	37	58	24	3	19	23	48	10	28
23	41	39	25	4	20	24	29	10	29
23	45	19	26	5	21	25	9	11	♍
23	48	59	27	6	22	25	48	12	1
23	52	40	28	7	22	26	29	13	1
23	56	20	29	8	23	27	8	13	2
24	0	0	30	9	24	27	48	14	3

TABLES OF HOUSES FOR LIVERPOOL, *Latitude* 53° 25′ N.

Sidereal Time. H.	M.	S.	10 ♈ °	11 ♉ °	12 ♊ °	Ascen ♋ °	′	2 ♌ °	3 ♍ °
0	0	0	0	9	24	28	12	14	3
0	3	40	1	10	25	28	51	14	4
0	7	20	2	12	25	29	30	15	4
0	11	0	3	13	26	0 ♌	9	16	5
0	14	41	4	14	27	0	48	17	6
0	18	21	5	15	28	1	27	17	7
0	22	2	6	16	29	2	6	18	8
0	25	42	7	17	♋	2	44	19	9
0	29	23	8	18	1	3	22	19	10
0	33	4	9	19	1	4	1	20	10
0	36	45	10	20	2	4	39	21	11
0	40	26	11	21	3	5	18	22	12
0	44	8	12	22	4	5	56	22	13
0	47	50	13	23	5	6	34	23	14
0	51	32	14	24	6	7	13	24	14
0	55	14	15	25	6	7	51	24	15
0	58	57	16	26	7	8	30	25	16
1	2	40	17	27	8	9	8	26	17
1	6	23	18	28	9	9	47	26	18
1	10	7	19	29	10	10	25	27	19
1	13	51	20	♊	11	11	4	28	19
1	17	35	21	1	11	11	43	28	20
1	21	20	22	2	12	12	21	29	21
1	25	6	23	3	13	13	0	♍	22
1	28	52	24	4	14	13	39	1	23
1	32	38	25	5	15	14	17	1	24
1	36	25	26	6	15	14	56	2	25
1	40	12	27	7	16	15	35	3	25
1	44	0	28	8	17	16	14	3	26
1	47	48	29	9	18	16	53	4	27
1	51	37	30	10	18	17	32	5	28

Sidereal Time. H.	M.	S.	10 ♉ °	11 ♊ °	12 ♋ °	Ascen ♌ °	′	2 ♍ °	3 ♍ °
1	51	37	0	10	18	17	32	5	28
1	55	27	1	11	19	18	11	6	29
1	59	17	2	12	20	18	51	6	♎
2	3	8	3	13	21	19	30	7	1
2	6	59	4	14	22	20	9	8	2
2	10	51	5	15	22	20	49	9	2
2	14	44	6	16	23	21	28	9	3
2	18	37	7	17	24	22	8	10	4
2	22	31	8	18	25	22	48	11	5
2	26	25	9	19	25	23	28	12	6
2	30	20	10	20	26	24	8	12	7
2	34	16	11	21	27	24	48	13	8
2	38	13	12	22	28	25	28	14	9
2	42	10	13	23	29	26	8	15	10
2	46	8	14	24	29	26	49	15	10
2	50	7	15	25	♌	27	29	16	11
2	54	7	16	26	1	28	10	17	12
2	58	7	17	27	2	28	51	18	13
3	2	8	18	28	2	29	32	19	14
3	6	9	19	29	3	0 ♍	13	19	15
3	10	12	20	29	4	0	54	20	16
3	14	15	21	♋	5	1	36	21	17
3	18	19	22	1	5	2	17	22	18
3	22	23	23	2	6	2	59	23	19
3	26	29	24	3	7	3	41	23	20
3	30	35	25	4	8	4	23	24	21
3	34	41	26	5	9	5	5	25	22
3	38	49	27	6	10	5	47	26	22
3	42	57	28	7	10	6	29	27	23
3	47	6	29	8	11	7	12	27	24
3	51	15	30	9	12	7	55	28	25

Sidereal Time. H.	M.	S.	10 ♊ °	11 ♋ °	12 ♌ °	Ascen ♍ °	′	2 ♍ °	3 ♎ °
3	51	15	0	9	12	7	55	28	25
3	55	25	1	10	13	8	37	29	26
3	59	36	2	11	13	9	20	♎	27
4	3	48	3	12	14	10	3	1	28
4	8	0	4	12	15	10	46	2	29
4	12	13	5	13	16	11	30	2	♏
4	16	26	6	14	17	12	13	3	1
4	20	40	7	15	18	12	56	4	2
4	24	55	8	16	18	13	40	5	3
4	29	10	9	17	19	14	24	6	4
4	33	26	10	18	20	15	8	7	5
4	37	42	11	19	21	15	52	7	6
4	41	59	12	20	21	16	36	8	6
4	46	16	13	21	22	17	20	9	7
4	50	34	14	22	23	18	4	10	8
4	54	52	15	23	24	18	48	11	9
4	59	10	16	24	25	19	32	12	10
5	3	29	17	24	26	20	17	12	11
5	7	49	18	25	26	21	1	13	12
5	12	9	19	26	27	21	46	14	13
5	16	29	20	27	28	22	31	15	14
5	20	49	21	28	29	23	16	16	15
5	25	9	22	29	♍	24	0	17	16
5	29	30	23	♌	1	24	45	18	17
5	33	51	24	1	1	25	30	18	18
5	38	12	25	2	2	26	15	19	19
5	42	34	26	3	3	27	0	20	20
5	46	55	27	4	4	27	45	21	21
5	51	17	28	5	5	28	30	22	21
5	55	38	29	6	6	29	15	23	22
6	0	0	30	7	7	30	0	23	23

Sidereal Time. H.	M.	S.	10 ♋ °	11 ♌ °	12 ♍ °	Ascen ♎ °	′	2 ♎ °	3 ♏ °
6	0	0	0	7	7	0	0	23	23
6	4	22	1	8	7	0	45	24	24
6	8	43	2	9	8	1	30	25	25
6	13	5	3	9	9	2	15	26	26
6	17	26	4	10	10	3	0	27	27
6	21	48	5	11	11	3	45	28	28
6	26	9	6	12	12	4	30	29	29
6	30	30	7	13	12	5	15	29	♐
6	34	51	8	14	13	6	0	♏	1
6	39	11	9	15	14	6	44	1	2
6	43	31	10	16	15	7	29	2	3
6	47	51	11	17	16	8	14	3	4
6	52	11	12	18	17	8	59	4	5
6	56	31	13	19	18	9	43	4	6
7	0	50	14	20	18	10	27	5	6
7	5	8	15	21	19	11	11	6	7
7	9	26	16	22	20	11	56	7	8
7	13	44	17	23	21	12	40	8	9
7	18	1	18	24	22	13	24	8	10
7	22	18	19	24	23	14	8	9	11
7	26	34	20	25	23	14	52	10	12
7	30	50	21	26	24	15	36	11	13
7	35	5	22	27	25	16	20	12	14
7	39	20	23	28	26	17	4	13	15
7	43	34	24	29	27	17	47	13	16
7	47	47	25	♍	28	18	30	14	17
7	52	0	26	1	28	19	13	15	18
7	56	12	27	2	29	19	57	16	18
8	0	24	28	3	♎	20	40	17	19
8	4	35	29	4	1	21	23	17	20
8	8	45	30	5	2	22	5	18	21

Sidereal Time. H.	M.	S.	10 ♌ °	11 ♍ °	12 ♎ °	Ascen ♎ °	′	2 ♏ °	3 ♐ °
8	8	45	0	5	2	22	5	18	21
8	12	54	1	6	2	22	48	19	22
8	17	3	2	7	3	23	30	20	23
8	21	11	3	8	4	24	13	20	24
8	25	19	4	8	5	24	55	21	25
8	29	26	5	9	6	25	37	22	26
8	33	31	6	10	7	26	19	23	27
8	37	37	7	11	7	27	1	24	28
8	41	41	8	12	8	27	43	25	29
8	45	45	9	13	9	28	24	25	♑
8	49	48	10	14	10	29	6	26	1
8	53	51	11	15	11	29	47	27	1
8	57	52	12	16	11	0 ♏	28	28	2
9	1	53	13	17	12	1	9	28	3
9	5	53	14	18	13	1	50	29	4
9	9	53	15	19	14	2	31	♐	5
9	13	52	16	19	15	3	11	1	6
9	17	50	17	20	15	3	52	1	7
9	21	47	18	21	16	4	32	2	8
9	25	44	19	22	17	5	12	3	9
9	29	40	20	23	18	5	52	4	10
9	33	35	21	24	18	6	32	5	11
9	37	29	22	25	19	7	12	5	12
9	41	23	23	26	20	7	52	6	13
9	45	16	24	27	21	8	32	7	14
9	49	9	25	27	21	9	12	8	15
9	53	1	26	28	22	9	51	8	16
9	56	52	27	29	23	10	30	9	17
10	0	42	28	♎	24	11	9	10	17
10	4	33	29	1	24	11	49	11	18
10	8	23	30	2	25	12	28	11	19

Sidereal Time. H.	M.	S.	10 ♍ °	11 ♎ °	12 ♎ °	Ascen ♏ °	′	2 ♐ °	3 ♑ °
10	8	23	0	2	25	12	28	11	19
10	12	12	1	3	26	13	6	12	20
10	16	0	2	4	27	13	45	13	21
10	19	48	3	4	27	14	25	14	22
10	23	35	4	5	28	15	4	15	23
10	27	22	5	6	29	15	42	15	24
10	31	8	6	7	29	16	21	16	25
10	34	54	7	8	♏	17	0	17	26
10	38	40	8	9	1	17	39	18	27
10	42	25	9	10	2	18	17	18	28
10	46	9	10	10	2	18	55	19	29
10	49	53	11	11	3	19	34	20	♒
10	53	37	12	12	4	20	13	21	1
10	57	20	13	13	4	20	52	22	2
11	1	3	14	14	5	21	30	22	3
11	4	46	15	15	6	22	8	23	5
11	8	28	16	16	7	22	46	24	6
11	12	10	17	16	7	23	25	25	7
11	15	52	18	17	8	24	4	26	8
11	19	34	19	18	9	24	42	26	9
11	23	15	20	19	9	25	21	27	10
11	26	56	21	20	10	25	59	28	11
11	30	37	22	20	11	26	38	29	12
11	34	18	23	21	12	27	16	♑	13
11	37	58	24	22	12	27	54	1	14
11	41	39	25	23	13	28	33	1	15
11	45	19	26	24	14	29	11	2	16
11	49	0	27	25	14	29	50	3	17
11	52	40	28	26	15	0 ♐	30	4	18
11	56	20	29	26	16	1	9	5	20
12	0	0	30	27	16	1	48	6	21

TABLES OF HOUSES FOR LIVERPOOL, *Latitude* 53° 25′ N.

Sidereal Time H.	M.	S.	10 ♎ °	11 ♎ °	12 ♏ °	Ascen ♐ °	′	2 ♑ °	3 ♒ °
12	0	0	0	27	16	1	48	6	21
12	3	40	1	28	[illegible]	2	27	7	22
12	7	20	2	29	18	3	6	8	23
12	11	0	3	♏	18	3	46	9	24
12	14	41	4	0	19	4	26	10	25
12	18	21	5	1	20	5	6	10	26
12	22	2	6	2	21	5	46	11	28
12	25	42	7	3	21	6	26	12	29
12	29	23	8	4	22	7	6	13	♓
12	33	4	9	4	23	7	46	14	1
12	36	45	10	5	24	8	27	15	2
12	40	26	11	6	24	9	8	16	3
12	44	8	12	7	25	9	49	17	5
12	47	50	13	8	26	10	30	18	6
12	51	32	14	9	26	11	12	19	7
12	55	14	15	9	27	11	54	20	8
12	58	57	16	10	28	12	36	21	10
13	2	40	17	11	28	13	19	22	11
13	6	23	18	12	29	14	2	23	12
13	10	7	19	13	♐	14	45	25	13
13	13	51	20	13	1	15	28	26	15
13	17	35	21	14	1	16	12	27	16
13	21	20	22	15	2	16	56	28	17
13	25	6	23	16	3	17	41	29	18
13	28	52	24	17	4	18	26	♒	19
13	32	38	25	17	4	19	11	1	21
13	36	25	26	18	5	19	57	3	22
13	40	12	27	19	6	20	44	4	23
13	44	0	28	20	7	21	31	5	24
13	47	48	29	21	7	22	18	7	26
13	51	37	30	21	8	23	6	8	27

Sidereal Time H.	M.	S.	10 ♏ °	11 ♏ °	12 ♐ °	Ascen ♐ °	′	2 ♒ °	3 ♓ °
13	51	37	0	21	8	23	6	8	27
13	55	27	1	22	9	23	55	9	28
13	59	17	2	23	10	24	43	10	♈
14	3	8	3	24	10	25	33	12	1
14	6	59	4	25	11	26	23	13	2
14	10	51	5	26	12	27	14	15	4
14	14	44	6	26	13	28	6	16	5
14	18	37	7	27	13	28	59	18	6
14	22	31	8	28	14	29	52	19	8
14	26	25	9	29	15	0 ♑	46	20	9
14	30	20	10	♐	16	1	41	22	10
14	34	16	11	1	17	2	36	23	11
14	38	13	12	2	18	3	33	25	13
14	42	10	13	2	18	4	30	26	14
14	46	8	14	3	19	5	29	28	16
14	50	7	15	4	20	6	29	♓	17
14	54	7	16	5	21	7	30	1	18
14	58	7	17	6	22	8	32	3	20
15	2	8	18	7	23	9	35	5	21
15	6	9	19	8	24	10	39	6	22
15	10	12	20	8	24	11	45	8	23
15	14	15	21	9	25	12	52	10	25
15	18	19	22	10	26	14	1	11	26
15	22	23	23	11	27	15	11	13	27
15	26	29	24	12	28	16	23	15	29
15	30	35	25	13	29	17	37	17	♉
15	34	41	26	14	♑	18	53	19	1
15	38	49	27	15	1	20	10	21	3
15	42	57	28	16	2	21	29	22	4
15	47	6	29	16	3	22	51	24	5
15	51	15	30	17	4	24	15	26	7

Sidereal Time H.	M.	S.	10 ♐ °	11 ♐ °	12 ♑ °	Ascen ♑ °	′	2 ♓ °	3 ♉ °
15	51	15	0	17	4	24	15	26	7
15	55	25	1	18	5	25	41	28	8
15	59	36	2	19	6	27	10	♈	9
16	3	48	3	20	7	28	41	2	10
16	8	0	4	21	8	0 ♒	14	4	12
16	12	13	5	22	9	1	50	5	13
16	16	26	6	23	10	3	30	7	14
16	20	40	7	24	11	5	13	9	15
16	24	55	8	25	12	6	58	11	17
16	29	10	9	26	13	8	46	13	18
16	33	26	10	27	14	10	38	15	19
16	37	42	11	28	15	12	32	17	20
16	41	59	12	29	16	14	31	19	22
16	46	16	13	♑	18	16	33	20	23
16	50	34	14	1	19	18	40	22	24
16	54	52	15	2	20	20	50	24	25
16	59	10	16	3	21	23	4	26	26
17	3	29	17	4	22	25	21	28	28
17	7	49	18	5	24	27	42	29	29
17	12	9	19	6	25	0 ♓	8	♉	♊
17	16	29	20	7	26	2	37	3	1
17	20	49	21	8	28	5	10	5	3
17	25	9	22	9	29	7	46	6	4
17	29	30	23	10	♒	10	24	8	5
17	33	51	24	11	2	13	7	10	6
17	38	12	25	12	3	15	52	11	7
17	42	34	26	13	4	18	38	13	8
17	46	55	27	14	6	21	27	15	9
17	51	17	28	15	7	24	17	16	10
17	55	38	29	16	9	27	8	18	12
18	0	0	30	17	11	30	0	19	13

Sidereal Time H.	M.	S.	10 ♑ °	11 ♑ °	12 ♒ °	Ascen ♈ °	′	2 ♉ °	3 ♊ °
18	0	0	0	17	11	0	0	19	13
18	4	22	1	18	12	2	52	21	14
18	8	43	2	20	14	5	43	23	15
18	13	5	3	21	15	8	33	24	16
18	17	26	4	22	17	11	22	25	17
18	21	48	5	23	19	14	8	27	18
18	26	9	6	24	20	16	53	28	19
18	30	30	7	25	22	19	36	♊	20
18	34	51	8	26	24	22	14	1	21
18	39	11	9	27	25	24	50	2	22
18	43	31	10	29	27	27	23	4	23
18	47	51	11	♒	28	29	53	5	24
18	52	11	12	1	♓	2 ♉	18	6	25
18	56	31	13	3	2	4	39	8	26
19	0	50	14	4	4	6	56	9	27
19	5	8	15	5	6	9	10	10	28
19	9	26	16	6	8	11	20	11	29
19	13	44	17	7	10	13	27	12	♋
19	18	1	18	8	11	15	29	14	1
19	22	18	19	9	13	17	28	15	2
19	26	34	20	11	15	19	22	16	3
19	30	50	21	12	17	21	14	17	4
19	35	5	22	13	19	23	2	18	5
19	39	20	23	15	21	24	47	19	6
19	43	34	24	16	23	26	30	20	7
19	47	47	25	17	25	28	10	21	8
19	52	0	26	18	26	29	46	22	9
19	56	12	27	20	28	1 ♊	19	23	10
20	0	24	28	21	♈	2	50	24	11
20	4	35	29	22	2	4	19	25	12
20	8	45	30	23	4	5	45	26	13

Sidereal Time H.	M.	S.	10 ♒ °	11 ♒ °	12 ♈ °	Ascen ♊ °	′	2 ♊ °	3 ♋ °
20	8	45	0	23	4	5	45	26	13
20	12	54	1	25	6	7	9	27	14
20	17	3	2	26	8	8	31	28	14
20	21	11	3	27	9	9	50	29	15
20	25	19	4	29	11	11	7	♋	16
20	29	26	5	♓	13	12	23	1	17
20	33	31	6	1	15	13	37	2	18
20	37	37	7	3	17	14	49	3	19
20	41	41	8	4	19	15	59	4	20
20	45	45	9	5	20	17	8	5	21
20	49	48	10	7	22	18	15	6	22
20	53	51	11	8	24	19	21	7	22
20	57	52	12	10	25	20	25	7	23
21	1	53	13	11	27	21	28	8	24
21	5	53	14	12	29	22	30	9	25
21	9	53	15	13	♉	23	31	10	26
21	13	52	16	14	2	24	31	11	27
21	17	50	17	16	4	25	30	12	28
21	21	47	18	17	5	26	27	12	28
21	25	44	19	18	7	27	24	13	29
21	29	40	20	20	8	28	19	14	♌
21	33	35	21	21	10	29	14	15	1
21	37	29	22	22	11	0 ♋	8	16	2
21	41	23	23	24	12	1	1	17	3
21	45	16	24	25	14	1	54	17	4
21	49	9	25	26	15	2	46	18	4
21	53	1	26	28	17	3	37	19	5
21	56	52	27	29	18	4	27	20	6
22	0	43	28	♈	20	5	17	20	7
22	4	33	29	2	21	6	5	21	8
22	8	23	30	3	22	6	54	22	8

Sidereal Time H.	M.	S.	10 ♓ °	11 ♈ °	12 ♉ °	Ascen ♋ °	′	2 ♋ °	3 ♌ °
22	8	23	0	3	22	6	54	22	8
22	12	12	1	4	23	7	42	23	9
22	16	0	2	5	25	8	29	23	10
22	19	48	3	7	26	9	16	24	11
22	23	35	4	8	27	10	3	25	12
22	27	22	5	9	29	10	49	26	13
22	31	8	6	11	♊	11	34	26	13
22	34	54	7	12	1	12	19	27	14
22	38	40	8	13	2	13	3	28	15
22	42	25	9	14	3	13	48	29	16
22	46	9	10	16	4	14	32	29	17
22	49	53	11	17	5	15	15	♌	17
22	53	37	12	18	7	15	58	1	18
22	57	20	13	19	8	16	41	2	19
23	1	3	14	20	9	17	24	2	20
23	4	46	15	22	10	18	6	3	21
23	8	28	16	23	11	18	48	4	21
23	12	10	17	24	12	19	30	4	22
23	15	52	18	25	13	20	11	5	23
23	19	34	19	27	14	20	52	6	24
23	23	15	20	28	15	21	33	6	25
23	26	56	21	29	16	22	14	7	26
23	30	37	22	♉	17	22	54	8	26
23	34	18	23	1	18	23	34	9	27
23	37	58	24	2	19	24	14	9	28
23	41	39	25	4	20	24	54	10	29
23	45	19	26	5	21	25	35	11	♍
23	49	0	27	6	22	26	14	11	0
23	52	40	28	7	22	26	54	12	1
23	56	20	29	8	23	27	33	13	2
24	0	0	30	9	24	28	12	14	3

TABLES OF HOUSES FOR HULL, Latitude 53° 45′ *N.*

Sidereal Time.			10	11	12	Ascen		2	3
			♈	♉	♊	♋		♌	♍
H.	M.	S.	°	°	°	°	′	°	°
0	0	0	0	10	25	28	29	14	3
0	3	40	1	11	26	29	8	15	4
0	7	20	2	12	27	29	47	16	5
0	11	1	3	13	28	0 ♌	26	16	6
0	14	41	4	14	29	1	5	17	6
0	18	21	5	15	29	1	43	18	7
0	22	2	6	16	♋	2	22	18	8
0	25	42	7	18	1	3	0	19	9
0	29	23	8	19	2	3	39	20	10
0	33	4	9	20	3	4	17	21	11
0	36	45	10	21	4	4	55	21	11
0	40	27	11	22	4	5	34	22	12
0	44	8	12	23	5	6	12	23	13
0	47	50	13	24	6	6	50	23	14
0	51	32	14	25	7	7	28	24	15
0	55	14	15	26	8	8	7	25	15
0	58	57	16	27	8	8	45	25	16
1	2	40	17	28	9	9	23	26	17
1	6	24	18	29	10	10	1	27	18
1	10	7	19	♊	11	10	40	28	19
1	13	51	20	1	12	11	18	28	20
1	17	36	21	2	12	11	56	29	20
1	21	21	22	3	13	12	35	30	21
1	25	6	23	4	14	13	13	♍	22
1	28	52	24	5	15	13	52	1	23
1	32	38	25	6	16	14	30	2	24
1	36	25	26	7	16	15	9	3	25
1	40	13	27	8	17	15	47	3	26
1	44	1	28	9	18	16	26	4	26
1	47	49	29	10	19	17	5	5	27
1	51	38	30	11	19	17	44	5	28

Sidereal Time.			10	11	12	Ascen		2	3
			♉	♊	♋	♌		♍	♍
H.	M.	S.	°	°	°	°	′	°	°
1	51	38	0	11	19	17	44	5	28
1	55	28	1	12	20	18	23	6	29
1	59	18	2	13	21	19	2	7	♎
2	3	8	3	14	22	19	41	8	1
2	7	0	4	15	22	20	20	8	2
2	10	52	5	16	23	20	59	9	2
2	14	44	6	17	24	21	39	10	3
2	18	37	7	18	25	22	18	11	4
2	22	31	8	19	26	22	58	11	5
2	26	26	9	20	26	23	38	12	6
2	30	21	10	20	27	24	17	13	7
2	34	17	11	21	28	24	57	14	8
2	38	14	12	22	29	25	37	15	9
2	42	11	13	23	29	26	18	15	9
2	46	9	14	24	♌	26	58	16	10
2	50	9	15	25	1	27	38	17	11
2	54	7	16	26	2	28	19	18	12
2	58	8	17	27	2	29	0	18	13
3	2	8	18	28	3	29	40	19	14
3	6	10	19	29	4	0 ♍	21	20	15
3	10	12	20	♋	5	1	2	20	16
3	14	16	21	1	6	1	44	21	17
3	18	19	22	2	6	2	25	22	18
3	22	24	23	3	7	3	7	23	18
3	26	29	24	4	8	3	48	24	19
3	30	35	25	4	9	4	30	24	20
3	34	42	26	5	9	5	12	25	21
3	38	49	27	6	10	5	54	26	22
3	42	57	28	7	11	6	36	27	23
3	47	6	29	8	12	7	18	28	24
3	51	16	30	9	13	8	1	28	25

Sidereal Time.			10	11	12	Ascen		2	3
			♊	♋	♌	♍		♍	♎
H.	M.	S.	°	°	°	°	′	°	°
3	51	16	0	9	13	8	1	28	25
3	55	26	1	10	13	8	43	29	26
3	59	37	2	11	14	9	26	♎	27
4	3	48	3	12	15	10	9	1	28
4	8	1	4	13	16	10	52	2	28
4	12	13	5	14	17	11	35	2	29
4	16	27	6	15	17	12	18	3	♏
4	20	41	7	16	18	13	1	4	1
4	24	55	8	16	19	13	45	5	2
4	29	11	9	17	20	14	28	6	3
4	33	26	10	18	21	15	12	6	4
4	37	42	11	19	21	15	56	7	5
4	41	59	12	20	22	16	39	8	6
4	46	17	13	21	23	17	23	9	7
4	50	34	14	22	24	18	7	10	8
4	54	52	15	23	25	18	51	11	9
4	59	11	16	24	25	19	36	11	10
5	3	30	17	25	26	20	20	12	11
5	7	49	18	26	27	21	4	13	12
5	12	9	19	27	28	21	49	14	13
5	16	29	20	28	29	22	33	15	14
5	20	49	21	29	30	23	18	16	15
5	25	10	22	29	♍	24	2	16	15
5	29	30	23	♌	1	24	47	17	16
5	33	51	24	1	2	25	31	18	17
5	38	13	25	2	3	26	16	19	18
5	42	34	26	3	4	27	1	20	19
5	46	55	27	4	5	27	46	21	20
5	51	17	28	5	5	28	30	21	21
5	55	38	29	6	6	29	15	22	22
6	0	0	30	7	7	30	0	23	23

Sidereal Time.			10	11	12	Ascen		2	3
			♋	♌	♍	♎		♎	♏
H.	M.	S.	°	°	°	°	′	°	°
6	0	0	0	7	7	0	0	23	23
6	4	22	1	8	8	0	45	24	24
6	8	43	2	9	9	1	30	25	25
6	13	5	3	10	10	2	14	25	26
6	17	26	4	11	10	2	59	26	27
6	21	47	5	12	11	3	44	27	28
6	26	9	6	13	12	4	29	28	29
6	30	30	7	14	13	5	13	29	♐
6	34	50	8	15	14	5	58	30	1
6	39	11	9	15	15	6	42	♏	1
6	43	31	10	16	15	7	27	1	2
6	47	51	11	17	16	8	11	2	3
6	52	11	12	18	17	8	56	3	4
6	56	30	13	19	18	9	40	4	5
7	0	49	14	20	19	10	24	5	6
7	5	8	15	21	20	11	9	5	7
7	9	26	16	22	20	11	53	6	8
7	13	43	17	23	21	12	37	7	9
7	18	1	18	24	22	13	21	8	10
7	22	18	19	25	23	14	4	9	11
7	26	34	20	26	24	14	48	9	12
7	30	49	21	27	24	15	32	10	13
7	35	5	22	28	25	16	15	11	14
7	39	19	23	29	26	16	59	12	14
7	43	33	24	30	27	17	42	13	15
7	47	47	25	♍	28	18	25	13	16
7	51	59	26	1	28	19	8	14	17
7	56	12	27	2	29	19	51	15	18
8	0	23	28	3	♎	20	34	16	19
8	4	34	29	4	1	21	17	17	20
8	8	44	30	5	2	21	59	17	21

Sidereal Time.			10	11	12	Ascen		2	3
			♌	♍	♎	♎		♏	♐
H.	M.	S.	°	°	°	°	′	°	°
8	8	44	0	5	2	21	59	17	21
8	12	54	1	6	2	22	42	18	22
8	17	3	2	7	3	23	24	19	23
8	21	11	3	8	4	24	6	20	24
8	25	19	4	9	5	24	48	21	25
8	29	25	5	10	6	25	30	21	26
8	33	31	6	11	6	26	12	22	27
8	37	36	7	12	7	26	53	23	27
8	41	41	8	12	8	27	35	24	28
8	45	44	9	13	9	28	16	24	29
8	49	48	10	14	10	28	58	25	♑
8	53	50	11	15	10	29	39	26	1
8	57	52	12	16	11	0 ♏	20	27	2
9	1	52	13	17	12	1	0	28	3
9	5	53	14	18	13	1	41	28	4
9	9	51	15	19	13	2	22	29	5
9	13	51	16	20	14	3	2	♐	6
9	17	49	17	21	15	3	42	1	7
9	21	46	18	21	16	4	23	2	8
9	25	43	19	22	16	5	3	2	9
9	29	39	20	23	17	5	43	3	10
9	33	34	21	24	18	6	22	4	11
9	37	29	22	25	19	7	2	4	11
9	41	23	23	26	19	7	42	5	12
9	45	16	24	27	20	8	21	6	13
9	49	8	25	28	21	9	1	7	14
9	53	0	26	28	22	9	40	8	15
9	56	52	27	29	22	10	19	8	16
10	0	42	28	♎	23	10	58	9	17
10	4	32	29	1	24	11	37	10	18
10	8	22	30	2	25	12	16	11	19

Sidereal Time.			10	11	12	Ascen		2	3
			♍	♎	♎	♏		♐	♑
H.	M.	S.	°	°	°	°	′	°	°
10	8	22	0	2	25	12	16	11	19
10	12	11	1	3	25	12	55	11	20
10	15	59	2	4	26	13	34	12	21
10	19	47	3	4	27	14	13	13	22
10	23	35	4	5	27	14	51	14	23
10	27	22	5	6	28	15	30	14	24
10	31	8	6	7	29	16	8	15	25
10	34	54	7	8	30	16	47	16	26
10	38	39	8	9	♏	17	25	17	27
10	42	24	9	10	1	18	4	18	28
10	46	9	10	10	2	18	42	18	29
10	49	53	11	11	3	19	20	19	♒
10	53	36	12	12	3	19	59	20	1
10	57	20	13	13	4	20	37	21	2
11	1	3	14	14	5	21	15	22	3
11	4	46	15	15	5	21	53	22	4
11	8	28	16	15	6	22	32	23	5
11	12	10	17	16	7	23	10	24	6
11	15	52	18	17	7	23	48	25	7
11	19	33	19	18	8	24	26	26	8
11	23	15	20	19	9	25	5	26	9
11	26	56	21	19	9	25	43	27	10
11	30	37	22	20	10	26	21	28	11
11	34	18	23	21	11	27	0	29	12
11	37	58	24	22	12	27	38	♑	14
11	41	39	25	23	12	28	17	1	15
11	45	19	26	24	13	28	55	1	16
11	48	59	27	24	14	29	34	2	17
11	52	40	28	25	14	0 ♐	13	3	18
11	56	20	29	26	15	0	52	4	19
12	0	0	30	27	16	1	31	5	20

TABLES OF HOUSES FOR HULL, *Latitude* 53° 45′ N.

Sidereal Time H.	M.	S.	10 ♎ °	11 ♎ °	12 ♏ °	Ascen ♐ °	Ascen ′	2 ♑ °	3 ♒ °
12	0	0	0	27	16	1	31	5	20
12	3	40	1	28	16	2	10	6	21
12	7	20	2	28	17	2	49	7	22
12	11	1	3	29	18	3	28	8	24
12	14	41	4	♏	19	4	8	8	25
12	18	21	5	1	19	4	47	9	26
12	22	2	6	2	20	5	27	10	27
12	25	42	7	2	21	6	7	11	28
12	29	23	8	3	21	6	47	12	29
12	33	4	9	4	22	7	27	13	♓
12	36	45	10	5	23	8	7	14	2
12	40	27	11	6	23	8	48	15	3
12	44	8	12	7	24	9	29	16	4
12	47	50	13	7	25	10	11	17	5
12	51	32	14	8	26	10	52	18	7
12	55	14	15	9	26	11	34	19	8
12	58	57	16	10	27	12	16	20	9
13	2	40	17	11	28	12	58	21	10
13	6	24	18	11	28	13	41	22	12
13	10	7	19	12	29	14	24	23	13
13	13	51	20	13	♐	15	7	24	14
13	17	36	21	14	1	15	50	26	15
13	21	21	22	15	1	16	34	27	17
13	25	6	23	15	2	17	19	28	18
13	28	52	24	16	3	18	3	29	19
13	32	38	25	17	3	18	48	♒	21
13	36	25	26	18	4	19	34	1	22
13	40	13	27	19	5	20	20	3	23
13	44	1	28	20	6	21	7	4	24
13	47	49	29	20	7	21	54	5	26
13	51	38	30	21	7	22	42	6	27

Sidereal Time H.	M.	S.	10 ♏ °	11 ♏ °	12 ♐ °	Ascen ♐ °	Ascen ′	2 ♒ °	3 ♓ °
13	51	38	0	21	7	22	42	6	27
13	55	28	1	22	8	23	30	8	28
13	59	18	2	23	9	24	18	9	♈
14	3	8	3	24	10	25	8	10	1
14	7	0	4	24	10	25	58	12	2
14	10	52	5	25	11	26	49	13	4
14	14	44	6	26	12	27	40	15	5
14	18	37	7	27	13	28	32	16	6
14	22	31	8	28	13	29	25	18	8
14	26	26	9	29	14	0♑	19	19	9
14	30	21	10	30	15	1	13	20	10
14	34	17	11	♐	16	2	9	22	12
14	38	14	12	1	17	3	5	23	13
14	42	11	13	2	18	4	2	25	15
14	46	9	14	3	18	5	1	26	16
14	50	9	15	4	19	6	0	28	17
14	54	7	16	5	20	7	0	♓	19
14	58	8	17	5	21	8	2	2	20
15	2	8	18	6	22	9	5	4	21
15	6	10	19	7	23	10	9	5	23
15	10	12	20	8	23	11	15	7	24
15	14	16	21	9	24	12	22	9	25
15	18	19	22	10	25	13	30	11	27
15	22	24	23	11	26	14	40	13	28
15	26	29	24	12	27	15	52	14	29
15	30	35	25	13	28	17	6	16	♉
15	34	42	26	13	29	18	21	18	2
15	38	49	27	14	♑	19	38	20	3
15	42	57	28	15	1	20	57	22	4
15	47	6	29	16	2	22	18	24	6
15	51	16	30	17	3	23	41	26	7

Sidereal Time H.	M.	S.	10 ♐ °	11 ♐ °	12 ♑ °	Ascen ♑ °	Ascen ′	2 ♓ °	3 ♉ °
15	51	16	0	17	3	23	41	26	7
15	55	26	1	18	4	25	7	28	8
15	59	37	2	19	5	26	35	♈	10
16	3	48	3	20	6	28	6	2	11
16	8	1	4	21	7	29	39	4	12
16	12	13	5	22	8	1♒	16	6	14
16	16	27	6	23	9	2	55	8	15
16	20	41	7	24	10	4	37	10	16
16	24	55	8	25	11	6	22	12	17
16	29	11	9	25	12	8	11	14	19
16	33	26	10	26	13	10	3	16	20
16	37	42	11	27	14	11	59	17	21
16	41	59	12	28	16	13	58	19	22
16	46	17	13	29	17	16	1	21	23
16	50	34	14	♑	18	18	8	23	25
16	54	52	15	1	19	20	19	25	26
16	59	11	16	2	20	22	34	27	27
17	3	30	17	3	21	24	52	29	28
17	7	49	18	4	23	27	15	♉	29
17	12	9	19	5	24	29	42	2	♊
17	16	29	20	6	25	2♓	13	4	2
17	20	49	21	7	27	4	47	6	3
17	25	10	22	8	28	7	25	8	4
17	29	30	23	9	29	10	6	9	5
17	33	51	24	11	♒	12	51	11	6
17	38	13	25	12	2	15	38	13	7
17	42	34	26	13	3	18	27	14	9
17	46	55	27	14	5	21	19	16	10
17	51	17	28	15	6	24	12	18	11
17	55	38	29	16	8	27	6	19	12
18	0	0	30	17	9	30	0	21	13

Sidereal Time H.	M.	S.	10 ♑ °	11 ♑ °	12 ♒ °	Ascen ♈ °	Ascen ′	2 ♉ °	3 ♊ °
18	0	0	0	17	9	0	0	21	13
18	4	22	1	18	11	2	54	22	14
18	8	43	2	19	12	5	48	24	15
18	13	5	3	20	14	8	41	25	16
18	17	26	4	21	16	11	33	27	17
18	21	47	5	22	17	14	22	28	18
18	26	9	6	24	19	17	9	♊	19
18	30	30	7	25	21	19	54	1	21
18	34	50	8	26	22	22	35	2	22
18	39	11	9	27	24	25	13	3	23
18	43	31	10	28	26	27	47	5	24
18	47	51	11	29	28	0♉	18	6	25
18	52	11	12	♒	♓	2	45	7	26
18	56	30	13	2	1	5	8	9	27
19	0	49	14	3	3	7	26	10	28
19	5	8	15	4	5	9	41	11	29
19	9	26	16	5	7	11	52	12	♋
19	13	43	17	7	9	13	59	13	1
19	18	1	18	8	11	16	2	15	2
19	22	18	19	9	13	18	1	16	3
19	26	34	20	10	14	19	57	17	4
19	30	49	21	11	16	21	49	18	5
19	35	5	22	13	18	23	38	19	5
19	39	19	23	14	20	25	23	20	6
19	43	33	24	15	22	27	5	21	7
19	47	47	25	16	24	28	44	22	8
19	51	59	26	18	26	0♊	21	23	9
19	56	12	27	19	28	1	54	24	10
20	0	23	28	20	♈	3	25	25	11
20	4	34	29	22	2	4	53	26	12
20	8	44	30	23	4	6	19	27	13

Sidereal Time H.	M.	S.	10 ♒ °	11 ♒ °	12 ♈ °	Ascen ♊ °	Ascen ′	2 ♊ °	3 ♋ °
20	8	44	0	23	4	6	19	27	13
20	12	54	1	24	6	7	42	28	14
20	17	3	2	25	8	9	3	29	15
20	21	11	3	27	10	10	22	♋	16
20	25	18	4	28	12	11	39	1	17
20	29	25	5	29	14	12	54	2	17
20	33	31	6	♓	16	14	8	3	18
20	37	36	7	2	17	15	20	4	19
20	41	41	8	3	19	16	30	5	20
20	45	44	9	5	21	17	38	6	21
20	49	48	10	6	23	18	45	7	22
20	53	50	11	7	25	19	51	7	23
20	57	52	12	9	26	20	55	8	24
21	1	52	13	10	28	21	58	9	25
21	5	53	14	11	♉	23	0	10	25
21	9	51	15	13	2	24	0	11	26
21	13	51	16	14	3	24	59	12	27
21	17	49	17	16	5	25	58	12	28
21	21	46	18	17	6	26	55	13	29
21	25	43	19	18	8	27	51	14	♌
21	29	39	20	20	10	28	47	15	1
21	33	34	21	21	11	29	41	16	1
21	37	29	22	22	13	0♋	35	17	2
21	41	23	23	24	14	1	28	17	3
21	45	16	24	25	15	2	20	18	4
21	49	8	25	26	17	3	11	19	5
21	53	0	26	28	18	4	2	20	5
21	56	52	27	29	20	4	52	20	6
22	0	42	28	♈	21	5	42	21	7
22	4	32	29	2	22	6	30	22	8
22	8	22	30	3	24	7	18	23	9

Sidereal Time H.	M.	S.	10 ♓ °	11 ♈ °	12 ♉ °	Ascen ♋ °	Ascen ′	2 ♋ °	3 ♌ °
22	8	22	0	3	24	7	18	23	9
22	12	11	1	4	25	8	6	24	10
22	15	59	2	6	26	8	53	24	10
22	19	47	3	7	27	9	40	25	11
22	23	35	4	8	29	10	26	26	12
22	27	22	5	9	♊	11	12	26	13
22	31	8	6	11	1	11	57	27	14
22	34	54	7	12	2	12	41	28	15
22	38	39	8	13	3	13	26	29	15
22	42	24	9	15	4	14	10	29	16
22	46	9	10	16	6	14	53	♌	17
22	49	53	11	17	7	15	36	1	18
22	53	36	12	18	8	16	19	2	19
22	57	20	13	20	9	17	2	2	19
23	1	3	14	21	10	17	44	3	20
23	4	46	15	22	11	18	26	4	21
23	8	28	16	23	12	19	8	4	22
23	12	10	17	25	13	19	49	5	23
23	15	52	18	26	14	20	31	6	23
23	19	33	19	27	15	21	12	7	24
23	23	15	20	29	16	21	53	7	25
23	26	56	21	♉	17	22	33	8	26
23	30	37	22	1	18	23	13	9	27
23	34	18	23	2	19	23	53	9	28
23	37	58	24	3	20	24	33	10	28
23	41	39	25	4	21	25	13	11	29
23	45	19	26	5	22	25	52	11	♍
23	48	59	27	6	22	26	32	12	1
23	52	40	28	8	23	27	11	13	2
23	56	20	29	9	24	27	50	14	2
24	0	0	30	10	25	28	29	14	3

TABLES OF HOUSES FOR YORK, *Latitude* 53° 58′ N.

Sidereal Time. H.	M.	S.	10 ♈ °	11 ♉ °	12 ♊ °	Ascen ♋ °	′	2 ♌ °	3 ♍ °
0	0	0	0	10	25	28	41	14	3
0	3	40	1	11	26	29	19	15	4
0	7	20	2	12	27	29	58	16	5
0	11	1	3	13	28	0 ♌	37	16	6
0	14	41	4	14	29	1	15	17	6
0	18	21	5	15	29	1	54	18	7
0	22	2	6	16	♋	2	32	18	8
0	25	42	7	18	1	3	10	19	9
0	29	23	8	19	2	3	49	20	10
0	33	4	9	20	3	4	27	21	11
0	36	45	10	21	4	5	5	21	11
0	40	27	11	22	4	5	43	22	12
0	44	8	12	23	5	6	21	23	13
0	47	50	13	24	6	7	0	23	14
0	51	32	14	25	7	7	38	24	15
0	55	14	15	26	8	8	16	25	15
0	58	57	16	27	8	8	54	25	16
1	2	40	17	28	9	9	32	26	17
1	6	24	18	29	10	10	10	27	18
1	10	7	19	♊	11	10	48	28	19
1	13	51	20	1	12	11	26	28	20
1	17	36	21	2	12	12	5	29	20
1	21	21	22	3	13	12	43	30	21
1	25	6	23	4	14	13	21	♍	22
1	28	52	24	5	15	14	0	1	23
1	32	38	25	6	16	14	38	2	24
1	36	25	26	7	16	15	17	3	25
1	40	13	27	8	17	15	55	3	26
1	44	1	28	9	18	16	34	4	26
1	47	49	29	10	19	17	12	5	27
1	51	38	30	11	19	17	51	5	28

Sidereal Time. H.	M.	S.	10 ♉ °	11 ♊ °	12 ♋ °	Ascen ♌ °	′	2 ♍ °	3 ♍ °
1	51	38	0	11	19	17	51	5	28
1	55	28	1	12	20	18	30	6	29
1	59	18	2	13	21	19	9	7	♎
2	3	8	3	14	22	19	48	8	1
2	7	0	4	15	22	20	27	8	2
2	10	52	5	16	23	21	6	9	2
2	14	44	6	17	24	21	45	10	3
2	18	37	7	18	25	22	25	11	4
2	22	31	8	19	26	23	4	11	5
2	26	26	9	20	26	23	44	12	6
2	30	21	10	20	27	24	24	13	7
2	34	17	11	21	28	25	3	14	8
2	38	14	12	22	29	25	43	15	9
2	42	11	13	23	29	26	23	15	9
2	46	9	14	24	♌	27	4	16	10
2	50	9	15	25	1	27	44	17	11
2	54	7	16	26	2	28	24	18	12
2	58	8	17	27	2	29	5	18	13
3	2	8	18	28	3	29	46	19	14
3	6	10	19	29	4	0 ♍	27	20	15
3	10	12	20	♋	5	1	7	20	16
3	14	16	21	1	6	1	49	21	17
3	18	19	22	2	6	2	30	22	18
3	22	24	23	3	7	3	11	23	18
3	26	29	24	4	8	3	53	24	19
3	30	35	25	4	9	4	34	24	20
3	34	42	26	5	9	5	16	25	21
3	38	49	27	6	10	5	58	26	22
3	42	57	28	7	11	6	40	27	23
3	47	6	29	8	12	7	22	28	24
3	51	16	30	9	13	8	5	28	25

Sidereal Time. H.	M.	S.	10 ♊ °	11 ♋ °	12 ♌ °	Ascen ♍ °	′	2 ♍ °	3 ♎ °
3	51	16	0	9	13	8	5	28	25
3	55	26	1	10	13	8	47	29	26
3	59	37	2	11	14	9	30	♎	27
4	3	48	3	12	15	10	12	1	28
4	8	1	4	13	16	10	55	2	28
4	12	13	5	14	17	11	38	2	29
4	16	27	6	15	17	12	21	3	♏
4	20	41	7	16	18	13	4	4	1
4	24	55	8	16	19	13	47	5	2
4	29	11	9	17	20	14	31	6	3
4	33	26	10	18	21	15	14	6	4
4	37	42	11	19	21	15	58	7	5
4	41	59	12	20	22	16	42	8	6
4	46	17	13	21	23	17	25	9	7
4	50	34	14	22	24	18	9	10	8
4	54	52	15	23	25	18	53	11	9
4	59	11	16	24	25	19	37	11	10
5	3	30	17	25	26	20	22	12	11
5	7	49	18	26	27	21	6	13	12
5	12	9	19	27	28	21	50	14	13
5	16	29	20	28	29	22	34	15	14
5	20	49	21	29	30	23	19	16	15
5	25	10	22	29	♍	24	3	16	15
5	29	30	23	♌	1	24	48	17	16
5	33	51	24	1	2	25	32	18	17
5	38	13	25	2	3	26	17	19	18
5	42	34	26	3	4	27	1	20	19
5	46	55	27	4	5	27	46	21	20
5	51	17	28	5	5	28	31	21	21
5	55	38	29	6	6	29	15	22	22
6	0	0	30	7	7	30	0	23	23

Sidereal Time. H.	M.	S.	10 ♋ °	11 ♌ °	12 ♍ °	Ascen ♎ °	′	2 ♎ °	3 ♏ °
6	0	0	0	7	7	0	0	23	23
6	4	22	1	8	8	0	45	24	24
6	8	43	2	9	9	1	29	25	25
6	13	5	3	10	10	2	14	25	26
6	17	26	4	11	10	2	59	26	27
6	21	47	5	12	11	3	43	27	28
6	26	9	6	13	12	4	28	28	29
6	30	30	7	14	13	5	12	29	♐
6	34	50	8	15	14	5	57	30	1
6	39	11	9	15	15	6	41	♏	1
6	43	31	10	16	15	7	26	1	2
6	47	51	11	17	16	8	10	2	3
6	52	11	12	18	17	8	54	3	4
6	56	30	13	19	18	9	38	4	5
7	0	49	14	20	19	10	23	5	6
7	5	8	15	21	20	11	7	5	7
7	9	26	16	22	20	11	51	6	8
7	13	43	17	23	21	12	35	7	9
7	18	1	18	24	22	13	18	8	10
7	22	18	19	25	23	14	2	9	11
7	26	34	20	26	24	14	46	9	12
7	30	49	21	27	24	15	29	10	13
7	35	5	22	28	25	16	13	11	14
7	39	19	23	29	26	16	56	12	14
7	43	33	24	30	27	17	39	13	15
7	47	47	25	♍	28	18	22	13	16
7	51	59	26	1	28	19	5	14	17
7	56	12	27	2	29	19	48	15	18
8	0	23	28	3	♎	20	30	16	19
8	4	34	29	4	1	21	13	17	20
8	8	44	30	5	2	21	55	17	21

Sidereal Time. H.	M.	S.	10 ♌ °	11 ♍ °	12 ♎ °	Ascen ♎ °	′	2 ♏ °	3 ♐ °
8	8	44	0	5	2	21	55	17	21
8	12	54	1	6	2	22	38	18	22
8	17	3	2	7	3	23	20	19	23
8	21	11	3	8	4	24	2	20	24
8	25	19	4	9	5	24	44	21	25
8	29	25	5	10	6	25	26	21	26
8	33	31	6	11	6	26	7	22	27
8	37	36	7	12	7	26	49	23	27
8	41	41	8	12	8	27	30	24	28
8	45	44	9	13	9	28	11	24	29
8	49	48	10	14	10	28	53	25	♑
8	53	50	11	15	10	29	33	26	1
8	57	52	12	16	11	0 ♏	14	27	2
9	1	52	13	17	12	0	55	28	3
9	5	53	14	18	13	1	36	28	4
9	9	51	15	19	13	2	16	29	5
9	13	51	16	20	14	2	56	♐	6
9	17	49	17	21	15	3	37	1	7
9	21	46	18	21	16	4	17	2	8
9	25	43	19	22	16	4	57	2	9
9	29	39	20	23	17	5	36	3	10
9	33	34	21	24	18	6	16	4	11
9	37	29	22	25	19	6	56	4	11
9	41	23	23	26	19	7	35	5	12
9	45	16	24	27	20	8	15	6	13
9	49	8	25	28	21	8	54	7	14
9	53	0	26	28	22	9	33	8	15
9	56	52	27	29	22	10	12	8	16
10	0	42	28	♎	23	10	51	9	17
10	4	32	29	1	24	11	30	10	18
10	8	22	30	2	25	12	9	11	19

Sidereal Time. H.	M.	S.	10 ♍ °	11 ♎ °	12 ♎ °	Ascen ♏ °	′	2 ♐ °	3 ♑ °
10	8	22	0	2	25	12	9	11	19
10	12	11	1	3	25	12	48	11	20
10	15	59	2	4	26	13	26	12	21
10	19	47	3	4	27	14	5	13	22
10	23	35	4	5	27	14	43	14	23
10	27	22	5	6	28	15	22	14	24
10	31	8	6	7	29	16	0	15	25
10	34	54	7	8	30	16	39	16	26
10	38	39	8	9	♏	17	17	17	27
10	42	24	9	10	1	17	55	18	28
10	46	9	10	10	2	18	33	18	29
10	49	53	11	11	3	19	12	19	♒
10	53	36	12	12	3	19	50	20	1
10	57	20	13	13	4	20	28	21	2
11	1	3	14	14	5	21	6	22	3
11	4	46	15	15	5	21	44	22	4
11	8	28	16	15	6	22	22	23	5
11	12	10	17	16	7	23	0	24	6
11	15	52	18	17	7	23	39	25	7
11	19	33	19	18	8	24	17	26	8
11	23	15	20	19	9	24	55	26	9
11	26	56	21	19	9	25	33	27	10
11	30	37	22	20	10	26	11	28	11
11	34	18	23	21	11	26	50	29	12
11	37	58	24	22	12	27	28	♑	14
11	41	39	25	23	12	28	6	1	15
11	45	19	26	24	13	28	45	1	16
11	48	59	27	24	14	29	23	2	17
11	52	40	28	25	14	0 ♐	2	3	18
11	56	20	29	26	15	0	41	4	19
12	0	0	30	27	16	1	19	5	20

TABLES OF HOUSES FOR YORK, *Latitude* 53° 58′ N.

Sidereal Time H.	M.	S.	10 ♎ °	11 ♎ °	12 ♏ °	Ascen ♐ °	Ascen ′	2 ♑ °	3 ♒ °
12	0	0	0	27	16	1	19	5	20
12	3	40	1	28	16	1	58	6	21
12	7	20	2	28	17	2	37	7	22
12	11	1	3	29	18	3	17	8	24
12	14	41	4	♏	19	3	56	8	25
12	18	21	5	1	19	4	35	9	26
12	22	2	6	2	20	5	15	10	27
12	25	42	7	2	21	5	55	11	28
12	29	23	8	3	21	6	35	12	29
12	33	4	9	4	22	7	15	13	♓
12	36	45	10	5	23	7	55	14	2
12	40	27	11	6	23	8	36	15	3
12	44	8	12	7	24	9	17	16	4
12	47	50	13	7	25	9	58	17	5
12	51	32	14	8	26	10	39	18	7
12	55	14	15	9	26	11	20	19	8
12	58	57	16	10	27	12	2	20	9
13	2	40	17	11	28	12	44	21	10
13	6	24	18	11	28	13	27	22	12
13	10	7	19	12	29	14	9	23	13
13	13	51	20	13	♐	14	53	24	14
13	17	36	21	14	1	15	36	26	15
13	21	21	22	15	1	16	20	27	17
13	25	6	23	15	2	17	4	28	18
13	28	52	24	16	3	17	48	29	19
13	32	38	25	17	3	18	33	♒	21
13	36	25	26	18	4	19	19	1	22
13	40	13	27	19	5	20	5	3	23
13	44	1	28	20	6	20	51	4	24
13	47	49	29	20	7	21	38	5	26
13	51	38	30	21	7	22	25	6	27

Sidereal Time H.	M.	S.	10 ♏ °	11 ♏ °	12 ♐ °	Ascen ♐ °	Ascen ′	2 ♒ °	3 ♓ °
13	51	38	0	21	7	22	25	6	27
13	55	28	1	22	8	23	13	8	28
13	59	18	2	23	9	24	2	9	♈
14	3	8	3	24	10	24	51	10	1
14	7	0	4	24	10	25	41	12	2
14	10	52	5	25	11	26	31	13	4
14	14	44	6	26	12	27	23	15	5
14	18	37	7	27	13	28	15	16	6
14	22	31	8	28	13	29	7	18	8
14	26	26	9	29	14	0 ♑	1	19	9
14	30	21	10	30	15	0	55	20	10
14	34	17	11	♐	16	1	50	22	12
14	38	14	12	1	17	2	46	23	13
14	42	11	13	2	18	3	43	25	15
14	46	9	14	3	18	4	41	26	16
14	50	9	15	4	19	5	41	28	17
14	54	7	16	5	20	6	41	♓	19
14	58	8	17	5	21	7	42	2	20
15	2	8	18	6	22	8	45	4	21
15	6	10	19	7	23	9	49	5	23
15	10	12	20	8	23	10	54	7	24
15	14	16	21	9	24	12	1	9	25
15	18	19	22	10	25	13	9	11	27
15	22	24	23	11	26	14	19	13	28
15	26	29	24	12	27	15	30	14	29
15	30	35	25	13	28	16	44	16	♉
15	34	42	26	13	29	17	59	18	2
15	38	49	27	14	♑	19	15	20	3
15	42	57	28	15	1	20	34	22	4
15	47	6	29	16	2	21	55	24	6
15	51	16	30	17	3	23	19	26	7

Sidereal Time H.	M.	S.	10 ♐ °	11 ♐ °	12 ♑ °	Ascen ♑ °	Ascen ′	2 ♓ °	3 ♉ °
15	51	16	0	17	3	23	19	26	7
15	55	26	1	18	4	24	44	28	8
15	59	37	2	19	5	26	12	♈	10
16	3	48	3	20	6	27	43	2	11
16	8	1	4	21	7	29	16	4	12
16	12	13	5	22	8	0 ♒	52	6	14
16	16	27	6	23	9	2	31	8	15
16	20	41	7	24	10	4	14	10	16
16	24	55	8	25	11	5	59	12	17
16	29	11	9	25	12	7	48	14	19
16	33	26	10	26	13	9	40	16	20
16	37	42	11	27	14	11	36	17	21
16	41	59	12	28	16	13	35	19	22
16	46	17	13	29	17	15	39	21	23
16	50	34	14	♑	18	17	46	23	25
16	54	52	15	1	19	19	58	25	26
16	59	11	16	2	20	22	13	27	27
17	3	30	17	3	21	24	33	29	28
17	7	49	18	4	23	26	56	♉	29
17	12	9	19	5	24	29	24	2	♊
17	16	29	20	6	25	1 ♓	56	4	2
17	20	49	21	7	27	4	31	6	3
17	25	10	22	8	28	7	11	8	4
17	29	30	23	9	29	9	54	9	5
17	33	51	24	11	♒	12	39	11	6
17	38	13	25	12	2	15	28	13	7
17	42	34	26	13	3	18	20	14	9
17	46	55	27	14	5	21	13	16	10
17	51	17	28	15	6	24	8	18	11
17	55	38	29	16	8	27	4	19	12
18	0	0	30	17	9	30	0	21	13

Sidereal Time H.	M.	S.	10 ♑ °	11 ♑ °	12 ♒ °	Ascen ♈ °	Ascen ′	2 ♉ °	3 ♊ °
18	0	0	0	17	9	0	0	21	13
18	4	22	1	18	11	2	56	22	14
18	8	43	2	19	12	5	52	24	15
18	13	5	3	20	14	8	47	25	16
18	17	26	4	21	16	11	40	27	17
18	21	47	5	22	17	14	32	28	18
18	26	9	6	24	19	17	21	♊	19
18	30	30	7	25	21	20	6	1	21
18	34	50	8	26	22	22	49	2	22
18	39	11	9	27	24	25	29	3	23
18	43	31	10	28	26	28	4	5	24
18	47	51	11	29	28	0 ♉	36	6	25
18	52	11	12	♒	♓	3	4	7	26
18	56	30	13	2	1	5	27	9	27
19	0	49	14	3	3	7	47	10	28
19	5	8	15	4	5	10	2	11	29
19	9	26	16	5	7	12	14	12	♋
19	13	43	17	7	9	14	21	13	1
19	18	1	18	8	11	16	25	15	2
19	22	18	19	9	13	18	24	16	3
19	26	34	20	10	14	20	20	17	4
19	30	49	21	11	16	22	12	18	5
19	35	5	22	13	18	24	1	19	5
19	39	19	23	14	20	25	48	20	6
19	43	33	24	15	22	27	29	21	7
19	47	47	25	16	24	29	8	22	8
19	51	59	26	18	26	0 ♊	44	23	9
19	56	12	27	19	28	2	17	24	10
20	0	23	28	20	♈	3	48	25	11
20	4	34	29	22	2	5	16	26	12
20	8	44	30	23	4	6	41	27	13

Sidereal Time H.	M.	S.	10 ♒ °	11 ♒ °	12 ♈ °	Ascen ♊ °	Ascen ′	2 ♊ °	3 ♋ °
20	8	44	0	23	4	6	41	27	13
20	12	54	1	24	6	8	5	28	14
20	17	3	2	25	8	9	26	29	15
20	21	11	3	27	10	10	45	♋	16
20	25	18	4	28	12	12	1	1	17
20	29	25	5	29	14	13	16	2	17
20	33	31	6	♓	16	14	30	3	18
20	37	36	7	2	17	15	41	4	19
20	41	41	8	3	19	16	51	5	20
20	45	44	9	5	21	17	59	6	21
20	49	48	10	6	23	19	6	7	22
20	53	50	11	7	25	20	11	7	23
20	57	52	12	9	26	21	15	8	24
21	1	52	13	10	28	22	18	9	25
21	5	53	14	11	♉	23	19	10	25
21	9	51	15	13	2	24	19	11	26
21	13	51	16	14	3	25	19	12	27
21	17	49	17	16	5	26	17	12	28
21	21	46	18	17	6	27	14	13	29
21	25	43	19	18	8	28	10	14	♌
21	29	39	20	20	10	29	5	15	1
21	33	34	21	21	11	29	59	16	1
21	37	29	22	22	13	0 ♋	53	17	2
21	41	23	23	24	14	1	45	17	3
21	45	16	24	25	15	2	37	18	4
21	49	8	25	26	17	3	29	19	5
21	53	0	26	28	18	4	19	20	5
21	56	52	27	29	20	5	9	20	6
22	0	42	28	♈	21	5	58	21	7
22	4	32	29	2	22	6	47	22	8
22	8	22	30	3	24	7	35	23	9

Sidereal Time H.	M.	S.	10 ♓ °	11 ♈ °	12 ♉ °	Ascen ♋ °	Ascen ′	2 ♋ °	3 ♌ °
22	8	22	0	3	24	7	35	23	9
22	12	11	1	4	25	8	22	24	10
22	15	59	2	6	26	9	9	24	10
22	19	47	3	7	27	9	55	25	11
22	23	35	4	8	29	10	41	26	12
22	27	22	5	9	♊	11	27	26	13
22	31	8	6	11	1	12	12	27	14
22	34	54	7	12	2	12	56	28	15
22	38	39	8	13	3	13	40	29	15
22	42	24	9	15	4	14	24	29	16
22	46	9	10	16	6	15	7	♌	17
22	49	53	11	17	7	15	51	1	18
22	53	36	12	18	8	16	33	2	19
22	57	20	13	20	9	17	16	2	19
23	1	3	14	21	10	17	58	3	20
23	4	46	15	22	11	18	40	4	21
23	8	28	16	23	12	19	21	4	22
23	12	10	17	25	13	20	2	5	23
23	15	52	18	26	14	20	43	6	23
23	19	33	19	27	15	21	24	7	24
23	23	15	20	29	16	22	5	7	25
23	26	56	21	♉	17	22	45	8	26
23	30	37	22	1	18	23	25	9	27
23	34	18	23	2	19	24	5	9	28
23	37	58	24	3	20	24	45	10	28
23	41	39	25	4	21	25	25	11	29
23	45	19	26	5	22	26	4	11	♍
23	48	59	27	6	22	26	44	12	1
23	52	40	28	8	23	27	23	13	2
23	56	20	29	9	24	28	2	14	2
24	0	0	30	10	25	28	41	14	3

TABLES OF HOUSES FOR BELFAST, Latitude 54° 34′ N.

Sidereal Time H. M. S.	10 ♈ °	11 ♉ °	12 ♊ °	Ascen ♋ ° ′	2 ♌ °	3 ♍ °
0 0 0	0	10	25	29 13	14	3
0 3 40	1	11	26	29 51	15	4
0 7 20	2	12	27	0 ♌ 30	15	5
0 11 1	3	13	28	1 8	16	5
0 14 41	4	14	29	1 46	17	6
0 18 21	5	15	♋	2 24	17	7
0 22 2	6	16	0	3 2	18	8
0 25 42	7	17	1	3 40	19	9
0 29 23	8	18	2	4 18	20	10
0 33 4	9	20	3	4 56	20	10
0 36 45	10	21	4	5 34	21	11
0 40 27	11	22	5	6 12	22	12
0 44 8	12	23	5	6 49	22	13
0 47 50	13	24	6	7 27	23	14
0 51 32	14	25	7	8 5	24	15
0 55 14	15	26	8	8 43	24	15
0 58 57	16	27	9	9 10	25	16
1 2 40	17	28	9	9 48	26	17
1 6 24	18	29	10	10 36	27	18
1 10 7	19	♊	11	11 14	27	19
1 13 51	20	1	12	11 52	28	20
1 17 36	21	2	12	12 29	29	20
1 21 21	22	3	13	13 7	29	21
1 25 6	23	4	14	13 45	♍	22
1 28 52	24	5	15	14 23	1	23
1 32 38	25	6	16	15 1	2	24
1 36 25	26	7	16	15 39	2	25
1 40 13	27	8	17	16 18	3	26
1 44 1	28	9	18	16 56	4	26
1 47 49	29	10	19	17 34	4	27
1 51 38	30	11	19	18 13	5	28

Sidereal Time H. M. S.	10 ♉ °	11 ♊ °	12 ♋ °	Ascen ♌ ° ′	2 ♍ °	3 ♍ °
1 51 38	0	11	19	18 13	5	28
1 55 28	1	12	20	18 51	6	29
1 59 18	2	13	21	19 30	7	♎
2 3 8	3	14	22	20 8	7	1
2 7 0	4	15	22	20 47	8	2
2 10 52	5	16	23	21 26	9	2
2 14 44	6	17	24	22 5	10	3
2 18 37	7	18	25	22 44	10	4
2 22 31	8	19	25	23 23	11	5
2 26 26	9	20	26	24 2	12	6
2 30 21	10	21	27	24 42	13	7
2 34 17	11	22	28	25 21	13	8
2 38 14	12	23	28	26 1	14	9
2 42 11	13	23	29	26 40	15	10
2 46 9	14	24	♌	27 20	16	10
2 50 9	15	25	1	28 0	16	11
2 54 7	16	26	2	28 40	17	12
2 58 8	17	27	2	29 21	18	13
3 2 8	18	28	3	0 ♍ 1	19	14
3 6 10	19	29	4	0 41	20	15
3 10 12	20	♋	5	1 22	20	16
3 14 16	21	1	5	2 3	21	17
3 18 19	22	2	6	2 44	22	18
3 22 24	23	3	7	3 25	23	19
3 26 29	24	4	8	4 6	24	20
3 30 35	25	5	8	4 47	24	20
3 34 42	26	6	9	5 29	25	21
3 38 49	27	7	10	6 10	26	22
3 42 57	28	7	11	6 52	27	23
3 47 6	29	8	12	7 34	28	24
3 51 16	30	9	12	8 16	28	25

Sidereal Time H. M. S.	10 ♊ °	11 ♋ °	12 ♌ °	Ascen ♍ ° ′	2 ♍ °	3 ♎ °
3 51 16	0	9	12	8 16	28	25
3 55 26	1	10	13	8 58	29	26
3 59 37	2	11	14	9 40	♎	27
4 3 48	3	12	15	10 22	1	28
4 8 1	4	13	16	11 5	2	29
4 12 13	5	14	16	11 47	2	♏
4 16 27	6	15	17	12 30	3	1
4 20 41	7	16	18	13 13	4	2
4 24 55	8	17	19	13 56	5	2
4 29 11	9	18	20	14 39	6	3
4 33 26	10	18	20	15 22	6	4
4 37 42	11	19	21	16 5	7	5
4 41 59	12	20	22	16 48	8	6
4 46 17	13	21	23	17 32	9	7
4 50 34	14	22	24	18 15	10	8
4 54 52	15	23	24	18 59	11	9
4 59 11	16	24	25	19 43	11	10
5 3 30	17	25	26	20 26	12	11
5 7 49	18	26	27	21 10	13	12
5 12 9	19	27	28	21 54	14	13
5 16 29	20	28	29	22 38	15	14
5 20 49	21	29	29	23 22	16	15
5 25 10	22	♌	♍	24 6	16	16
5 29 30	23	0	1	24 50	17	17
5 33 51	24	1	2	25 34	18	17
5 38 13	25	2	3	26 19	19	18
5 42 34	26	3	3	27 3	20	19
5 46 55	27	4	4	27 47	21	20
5 51 17	28	5	5	28 31	21	21
5 55 38	29	6	6	29 16	22	22
6 0 0	30	7	7	30 0	23	23

Sidereal Time H. M. S.	10 ♋ °	11 ♌ °	12 ♍ °	Ascen ♎ ° ′	2 ♎ °	3 ♏ °
6 0 0	0	7	7	0 0	23	23
6 4 22	1	8	8	0 44	24	24
6 8 43	2	9	9	1 29	25	25
6 13 5	3	10	9	2 13	26	26
6 17 26	4	11	10	2 57	27	27
6 21 47	5	12	11	3 41	27	28
6 26 9	6	13	12	4 26	28	29
6 30 30	7	13	13	5 10	29	♐
6 34 50	8	14	14	5 54	♏	0
6 39 11	9	15	14	6 38	1	1
6 43 31	10	16	15	7 22	1	2
6 47 51	11	17	16	8 6	2	3
6 52 11	12	18	17	8 50	3	4
6 56 30	13	19	18	9 34	4	5
7 0 49	14	20	19	10 17	5	6
7 5 8	15	21	19	11 1	6	7
7 9 26	16	22	20	11 45	6	8
7 13 43	17	23	21	12 28	7	9
7 18 1	18	24	22	13 12	8	10
7 22 18	19	25	23	13 55	9	11
7 26 34	20	26	24	14 38	10	12
7 30 49	21	27	24	15 21	10	12
7 35 5	22	28	25	16 4	11	13
7 39 19	23	28	26	16 47	12	14
7 43 33	24	29	27	17 30	13	15
7 47 47	25	♍	28	18 13	14	16
7 51 59	26	1	28	18 55	14	17
7 56 12	27	2	29	19 38	15	18
8 0 23	28	3	♎	20 20	16	19
8 4 34	29	4	1	21 2	17	20
8 8 44	30	5	2	21 44	18	21

Sidereal Time H. M. S.	10 ♌ °	11 ♍ °	12 ♎ °	Ascen ♎ ° ′	2 ♏ °	3 ♐ °
8 8 44	0	5	2	21 44	18	21
8 12 54	1	6	2	22 26	18	22
8 17 3	2	7	3	23 8	19	23
8 21 11	3	8	4	23 50	20	23
8 25 19	4	9	5	24 31	21	24
8 29 25	5	10	6	25 13	22	25
8 33 31	6	10	6	25 54	22	26
8 37 36	7	11	7	26 35	23	27
8 41 41	8	12	8	27 16	24	28
8 45 44	9	13	9	27 57	25	29
8 49 48	10	14	10	28 38	25	♑
8 53 50	11	15	10	29 19	26	1
8 57 52	12	16	11	29 59	27	2
9 1 52	13	17	12	0 ♏ 39	28	3
9 5 53	14	18	13	1 20	28	4
9 9 51	15	19	14	2 0	29	5
9 13 51	16	20	14	2 40	♐	6
9 17 49	17	20	15	3 20	1	7
9 21 46	18	21	16	3 59	2	7
9 25 43	19	22	17	4 39	2	8
9 29 39	20	23	17	5 18	3	9
9 33 34	21	24	18	5 58	4	10
9 37 29	22	25	19	6 37	5	11
9 41 23	23	26	20	7 16	5	12
9 45 16	24	27	20	7 55	6	13
9 49 8	25	28	21	8 34	7	14
9 53 0	26	28	22	9 13	8	15
9 56 52	27	29	23	9 52	8	16
10 0 42	28	♎	23	10 30	9	17
10 4 32	29	1	24	11 9	10	18
10 8 22	30	2	25	11 47	11	19

Sidereal Time H. M. S.	10 ♍ °	11 ♎ °	12 ♎ °	Ascen ♏ ° ′	2 ♐ °	3 ♑ °
10 8 22	0	2	25	11 47	11	19
10 12 11	1	3	26	12 26	11	20
10 15 59	2	4	26	13 4	12	21
10 19 47	3	4	27	13 42	13	22
10 23 35	4	5	28	14 21	14	23
10 27 22	5	6	28	14 59	14	24
10 31 8	6	7	29	15 37	15	25
10 34 54	7	8	♏	16 15	16	26
10 38 39	8	9	1	16 53	17	27
10 42 24	9	10	1	17 31	18	28
10 46 9	10	10	2	18 8	18	29
10 49 53	11	11	3	18 46	19	♒
10 53 36	12	12	3	19 24	20	1
10 57 20	13	13	4	20 2	21	2
11 1 3	14	14	5	20 40	21	3
11 4 46	15	15	6	21 17	22	4
11 8 28	16	15	6	21 55	23	5
11 12 10	17	16	7	22 33	24	6
11 15 52	18	17	8	23 11	25	7
11 19 33	19	18	8	23 48	25	8
11 23 15	20	19	9	24 26	26	9
11 26 56	21	20	10	25 4	27	10
11 30 37	22	20	10	25 42	28	12
11 34 18	23	21	11	26 20	29	13
11 37 58	24	22	12	26 58	♑	14
11 41 39	25	23	13	27 36	0	15
11 45 19	26	24	13	28 14	1	16
11 48 59	27	25	14	28 52	2	17
11 52 40	28	25	15	29 30	3	18
11 56 20	29	26	15	0 ♐ 9	4	19
12 0 0	30	27	16	0 47	5	20

TABLES OF HOUSES FOR BELFAST, Latitude 54° 34′ N.

Sidereal Time. H.	M.	S.	10 ♎	11 ♎	12 ♏	Ascen ♐ °	′	2 ♑	3 ♒
12	0	0	0	27	16	0	47	5	20
12	3	40	1	28	17	1	25	6	22
12	7	20	2	29	17	2	4	7	23
12	11	1	3	29	18	2	43	7	24
12	14	41	4	♏	19	3	22	8	25
12	18	21	5	1	19	4	1	9	26
12	22	2	6	2	20	4	40	10	27
12	25	42	7	3	21	5	19	11	28
12	29	23	8	3	22	5	59	12	♓
12	33	4	9	4	22	6	39	13	1
12	36	45	10	5	23	7	19	14	2
12	40	27	11	6	24	7	59	15	3
12	44	8	12	7	24	8	39	16	4
12	47	50	13	7	25	9	19	17	6
12	51	32	14	8	26	10	0	18	7
12	55	14	15	9	26	10	41	19	8
12	58	57	16	10	27	11	23	20	9
13	2	40	17	11	28	12	4	21	11
13	6	24	18	12	29	12	46	22	12
13	10	7	19	12	29	13	28	23	13
13	13	51	20	13	♐	14	11	25	14
13	17	36	21	14	1	14	54	26	16
13	21	21	22	15	1	15	37	27	17
13	25	6	23	16	2	16	21	28	18
13	28	52	24	16	3	17	5	29	19
13	32	38	25	17	4	17	49	♒	21
13	36	25	26	18	4	18	34	2	22
13	40	13	27	19	5	19	19	3	23
13	44	1	28	20	6	20	5	4	25
13	47	49	29	20	7	20	51	5	26
13	51	38	30	21	7	21	38	7	27

Sidereal Time. H.	M.	S.	10 ♏	11 ♏	12 ♐	Ascen ♐ °	′	2 ♒	3 ♓
13	51	38	0	21	7	21	38	7	27
13	55	28	1	22	8	22	26	8	28
13	59	18	2	23	9	23	14	9	♈
14	3	8	3	24	10	24	2	11	1
14	7	0	4	25	10	24	51	12	2
14	10	52	5	25	11	25	41	14	4
14	14	44	6	26	12	26	32	15	5
14	18	37	7	27	13	27	23	17	6
14	22	31	8	28	13	28	15	18	8
14	26	26	9	29	14	29	8	20	9
14	30	21	10	♐	15	0♑	1	21	10
14	34	17	11	0	16	0	56	23	12
14	38	14	12	1	17	1	51	24	13
14	42	11	13	2	17	2	48	26	14
14	46	9	14	3	18	3	45	27	16
14	50	9	15	4	19	4	43	29	17
14	54	7	16	5	20	5	43	♓	18
14	58	8	17	5	21	6	44	2	20
15	2	8	18	6	22	7	46	4	21
15	6	10	19	7	23	8	49	6	23
15	10	12	20	8	23	9	53	8	24
15	14	16	21	9	24	10	59	9	25
15	18	19	22	10	25	12	7	11	26
15	22	24	23	11	26	13	16	13	28
15	26	29	24	12	27	14	27	15	29
15	30	35	25	12	28	15	39	17	♉
15	34	42	26	13	29	16	53	18	2
15	38	49	27	14	♑	18	9	20	3
15	42	57	28	15	1	19	28	22	4
15	47	6	29	16	2	20	48	24	6
15	51	16	30	17	3	22	11	26	7

Sidereal Time. H.	M.	S.	10 ♐	11 ♐	12 ♑	Ascen ♑ °	′	2 ♓	3 ♉
15	51	16	0	17	3	22	11	26	7
15	55	26	1	18	4	23	36	28	8
15	59	37	2	19	5	25	3	♈	9
16	3	48	3	20	6	26	34	2	11
16	8	1	4	21	7	28	7	4	12
16	12	13	5	22	8	29	42	6	13
16	16	27	6	22	9	1♒	21	8	15
16	20	41	7	23	10	3	4	9	16
16	24	55	8	24	11	4	49	11	17
16	29	11	9	25	12	6	38	13	18
16	33	26	10	26	13	8	31	15	20
16	37	42	11	27	14	10	27	17	21
16	41	59	12	28	15	12	28	19	22
16	46	17	13	29	17	14	32	21	23
16	50	34	14	♑	18	16	41	23	25
16	54	52	15	1	19	18	54	25	26
16	59	11	16	2	20	21	11	26	27
17	3	30	17	3	21	23	33	28	28
17	7	49	18	4	23	25	59	♉	29
17	12	9	19	5	24	28	30	2	♊
17	16	29	20	6	25	1♓	5	4	2
17	20	49	21	7	27	3	44	5	3
17	25	10	22	8	28	6	27	7	4
17	29	30	23	9	29	9	14	9	5
17	33	51	24	10	♒	12	5	11	6
17	38	13	25	11	2	14	59	12	8
17	42	34	26	12	4	17	56	14	9
17	46	55	27	14	5	20	55	16	10
17	51	17	28	15	7	23	56	17	11
17	55	38	29	16	8	26	58	19	12
18	0	0	30	17	10	30	0	20	13

Sidereal Time. H.	M.	S.	10 ♑	11 ♑	12 ♒	Ascen ♈ °	′	2 ♉	3 ♊
18	0	0	0	17	10	0	0	20	13
18	4	22	1	18	11	3	2	22	14
18	8	43	2	19	13	6	4	23	15
18	13	5	3	20	14	9	5	25	16
18	17	26	4	21	16	12	4	26	18
18	21	47	5	22	18	15	1	28	19
18	26	9	6	24	19	17	55	29	20
18	30	30	7	25	21	20	46	♊	21
18	34	50	8	26	23	23	33	2	22
18	39	11	9	27	25	26	16	3	23
18	43	31	10	28	26	28	55	5	24
18	47	51	11	29	28	1♉	30	6	25
18	52	11	12	♒	♓	4	1	7	26
18	56	30	13	2	2	6	27	9	27
19	0	49	14	3	4	8	49	10	28
19	5	8	15	4	5	11	6	11	29
19	9	26	16	5	7	13	19	12	♋
19	13	43	17	7	9	15	28	13	1
19	18	1	18	8	11	17	32	15	2
19	22	18	19	9	13	19	33	16	3
19	26	34	20	10	15	21	29	17	4
19	30	49	21	12	17	23	22	18	5
19	35	5	22	13	19	25	11	19	6
19	39	19	23	14	21	26	56	20	7
19	43	33	24	15	22	28	39	21	8
19	47	47	25	17	24	0♊	18	22	8
19	51	59	26	18	26	1	53	23	9
19	56	12	27	19	28	3	26	24	10
20	0	23	28	21	♈	4	57	25	11
20	4	34	29	22	2	6	24	26	12
20	8	44	30	23	4	7	49	27	13

Sidereal Time. H.	M.	S.	10 ♒	11 ♒	12 ♈	Ascen ♊ °	′	2 ♊	3 ♋
20	8	44	0	23	4	7	49	27	13
20	12	54	1	24	6	9	12	28	14
20	17	3	2	26	8	10	32	29	15
20	21	11	3	27	10	11	51	♋	16
20	25	18	4	28	12	13	7	1	17
20	29	25	5	♓	13	14	21	2	18
20	33	31	6	1	15	15	33	3	18
20	37	36	7	2	17	16	44	4	19
20	41	41	8	4	19	17	53	5	20
20	45	44	9	5	21	19	1	6	21
20	49	48	10	6	22	20	7	7	22
20	53	50	11	8	24	21	11	7	23
20	57	52	12	9	26	22	14	8	24
21	1	52	13	10	28	23	16	9	25
21	5	53	14	12	♉	24	17	10	25
21	9	51	15	13	1	25	17	11	26
21	13	51	16	14	3	26	15	12	27
21	17	49	17	16	4	27	12	13	28
21	21	46	18	17	6	28	9	13	29
21	25	43	19	18	7	29	4	14	♌
21	29	39	20	20	9	29	59	15	0
21	33	34	21	21	10	0♋	52	16	1
21	37	29	22	22	12	1	45	17	2
21	41	23	23	24	13	2	37	17	3
21	45	16	24	25	15	3	28	18	4
21	49	8	25	26	16	4	19	19	5
21	53	0	26	28	18	5	7	20	5
21	56	52	27	29	19	5	58	20	6
22	0	42	28	♈	21	6	46	21	7
22	4	32	29	2	22	7	34	22	8
22	8	22	30	3	23	8	22	23	9

Sidereal Time. H.	M.	S.	10 ♓	11 ♈	12 ♉	Ascen ♋ °	′	2 ♋	3 ♌
22	8	22	0	3	23	8	22	23	9
22	12	11	1	4	25	9	9	23	10
22	15	59	2	5	26	9	55	24	10
22	19	47	3	7	27	10	41	25	11
22	23	35	4	8	28	11	26	26	12
22	27	22	5	9	♊	12	11	26	13
22	31	8	6	11	1	12	55	27	14
22	34	54	7	12	2	13	39	28	14
22	38	39	8	13	3	14	23	29	15
22	42	24	9	14	4	15	6	29	16
22	46	9	10	16	5	15	49	♌	17
22	49	53	11	17	7	16	32	1	18
22	53	36	12	18	8	17	14	1	18
22	57	20	13	19	9	17	56	2	19
23	1	3	14	21	10	18	37	3	20
23	4	46	15	22	11	19	19	4	21
23	8	28	16	23	12	20	0	4	22
23	12	10	17	24	13	20	41	5	23
23	15	52	18	26	14	21	21	6	23
23	19	33	19	27	15	22	1	6	24
23	23	15	20	28	16	22	41	7	25
23	26	56	21	29	17	23	21	8	26
23	30	37	22	♉	18	24	1	8	27
23	34	18	23	2	19	24	41	9	27
23	37	58	24	3	20	25	20	10	28
23	41	39	25	4	21	25	59	11	29
23	45	19	26	5	22	26	38	11	♍
23	48	59	27	6	23	27	17	12	1
23	52	40	28	7	23	27	56	13	1
23	56	20	29	8	24	28	35	13	2
24	0	0	30	10	25	29	13	14	3

TABLES OF HOUSES FOR NEWCASTLE-ON-TYNE, Lat. 54° 59′ N.

Sidereal Time. H.	M.	S.	10 ♈ °	11 ♉ °	12 ♊ °	Ascen ♋ °	′	2 ♌ °	3 ♍ °
0	0	0	0	10	26	29	36	15	3
0	3	40	1	11	27	0 ♌	14	15	4
0	7	20	2	12	28	0	52	16	5
0	11	1	3	14	29	1	30	17	6
0	14	41	4	15	29	2	8	17	7
0	18	21	5	16	♋	2	46	18	7
0	22	2	6	17	1	3	23	19	8
0	25	42	7	18	2	4	1	20	9
0	29	23	8	19	3	4	39	20	10
0	33	4	9	20	4	5	16	21	11
0	36	45	10	21	4	5	54	22	11
0	40	27	11	22	5	6	31	22	12
0	44	8	12	23	6	7	9	23	13
0	47	50	13	24	7	7	46	24	14
0	51	32	14	25	8	8	24	24	15
0	55	14	15	26	8	9	1	25	16
0	58	57	16	28	9	9	39	26	16
1	2	40	17	29	10	10	16	26	17
1	6	24	18	♊	11	10	54	27	18
1	10	7	19	1	12	11	31	28	19
1	13	51	20	2	12	12	9	29	20
1	17	36	21	3	13	12	47	29	21
1	21	21	22	4	14	13	24	♍	21
1	25	6	23	5	15	14	2	1	22
1	28	52	24	6	15	14	40	1	23
1	32	38	25	7	16	15	18	2	24
1	36	25	26	8	17	15	55	3	25
1	40	13	27	9	18	16	33	4	26
1	44	1	28	10	19	17	11	4	26
1	47	49	29	10	19	17	49	5	27
1	51	38	30	11	20	18	28	6	28

Sidereal Time. H.	M.	S.	10 ♉ °	11 ♊ °	12 ♋ °	Ascen ♌ °	′	2 ♍ °	3 ♍ °
1	51	38	0	11	20	18	28	6	28
1	55	28	1	12	21	19	6	6	29
1	59	18	2	13	22	19	44	7	♎
2	3	8	3	14	22	20	23	8	1
2	7	0	4	15	23	21	1	9	2
2	10	52	5	16	24	21	40	9	2
2	14	44	6	17	25	22	18	10	3
2	18	37	7	18	25	22	57	11	4
2	22	31	8	19	26	23	36	11	5
2	26	26	9	20	27	24	16	12	6
2	30	21	10	21	28	24	54	13	7
2	34	17	11	22	28	25	33	14	8
2	38	14	12	23	29	26	13	14	9
2	42	11	13	24	♌	26	52	15	9
2	46	9	14	25	1	27	32	16	10
2	50	9	15	26	1	28	12	17	11
2	54	7	16	27	2	28	51	17	12
2	58	8	17	28	3	29	31	18	13
3	2	8	18	28	4	0 ♍	12	19	14
3	6	10	19	29	5	0	52	20	15
3	10	12	20	♋	5	1	32	21	16
3	14	16	21	1	6	2	13	21	17
3	18	19	22	2	7	2	53	22	17
3	22	24	23	3	8	3	34	23	18
3	26	29	24	4	8	4	15	24	19
3	30	35	25	5	9	4	56	24	20
3	34	42	26	6	10	5	37	25	21
3	38	49	27	7	11	6	19	26	22
3	42	57	28	8	12	7	0	27	23
3	47	6	29	9	12	7	42	28	24
3	51	16	30	10	13	8	23	28	25

Sidereal Time. H.	M.	S.	10 ♊ °	11 ♋ °	12 ♌ °	Ascen ♍ °	′	2 ♍ °	3 ♎ °
3	51	16	0	10	13	8	23	28	25
3	55	26	1	10	14	9	5	29	26
3	59	37	2	11	15	9	47	♎	27
4	3	48	3	12	15	10	29	1	27
4	8	1	4	13	16	11	11	2	28
4	12	13	5	14	17	11	54	2	29
4	16	27	6	15	18	12	36	3	♏
4	20	41	7	16	19	13	19	4	1
4	24	55	8	17	19	14	1	5	2
4	29	11	9	18	20	14	44	6	3
4	33	26	10	19	21	15	27	6	4
4	37	42	11	20	22	16	10	7	5
4	41	59	12	21	23	16	53	8	6
4	46	17	13	22	23	17	36	9	7
4	50	34	14	22	24	18	19	10	8
4	54	52	15	23	25	19	3	10	9
4	59	11	16	24	26	19	46	11	10
5	3	30	17	25	27	20	30	12	10
5	7	49	18	26	27	21	13	13	11
5	12	9	19	27	28	21	57	14	12
5	16	29	20	28	29	22	41	15	13
5	20	49	21	29	♍	23	24	15	14
5	25	10	22	♌	1	24	8	16	15
5	29	30	23	1	2	24	52	17	16
5	33	51	24	2	2	25	36	18	17
5	38	13	25	3	3	26	20	19	18
5	42	34	26	4	4	27	4	19	19
5	46	55	27	5	5	27	48	20	20
5	51	17	28	6	6	28	32	21	21
5	55	38	29	6	6	29	16	22	22
6	0	0	30	7	7	30	0	23	23

Sidereal Time. H.	M.	S.	10 ♋ °	11 ♌ °	12 ♍ °	Ascen ♎ °	′	2 ♎ °	3 ♏ °
6	0	0	0	7	7	0	0	23	23
6	4	22	1	8	8	0	44	24	24
6	8	43	2	9	9	1	28	24	24
6	13	5	3	10	10	2	12	25	25
6	17	26	4	11	11	2	56	26	26
6	21	47	5	12	11	3	40	27	27
6	26	9	6	13	12	4	24	28	28
6	30	30	7	14	13	5	8	28	29
6	34	50	8	15	14	5	52	29	♐
6	39	11	9	16	15	6	36	♏	1
6	43	31	10	17	15	7	19	1	2
6	47	51	11	18	16	8	3	2	3
6	52	11	12	19	17	8	47	3	4
6	56	30	13	20	18	9	30	3	5
7	0	49	14	20	19	10	14	4	6
7	5	8	15	21	20	10	57	5	7
7	9	26	16	22	20	11	41	6	8
7	13	43	17	23	21	12	24	7	8
7	18	1	18	24	22	13	7	7	9
7	22	18	19	25	23	13	50	8	10
7	26	34	20	26	24	14	33	9	11
7	30	49	21	27	24	15	16	10	12
7	35	5	22	28	25	15	59	11	13
7	39	19	23	29	26	16	41	11	14
7	43	33	24	♍	27	17	24	12	15
7	47	47	25	1	28	18	6	13	16
7	51	59	26	2	29	18	40	14	17
7	56	12	27	3	29	19	31	15	18
8	0	23	28	3	♎	20	13	15	19
8	4	34	29	4	1	20	55	16	20
8	8	44	30	5	2	21	37	17	20

Sidereal Time. H.	M.	S.	10 ♌ °	11 ♍ °	12 ♎ °	Ascen ♎ °	′	2 ♏ °	3 ♐ °
8	8	44	0	5	2	21	37	17	20
8	12	54	1	6	2	22	18	18	21
8	17	3	2	7	3	23	0	18	22
8	21	11	3	8	4	23	41	19	23
8	25	19	4	9	5	24	23	20	24
8	29	25	5	10	6	25	4	21	25
8	33	31	6	11	6	25	45	22	26
8	37	36	7	12	7	26	26	22	27
8	41	41	8	13	8	27	7	23	28
8	45	44	9	13	9	27	47	24	29
8	49	48	10	14	9	28	28	25	♑
8	53	50	11	15	10	29	8	25	1
8	57	52	12	16	11	29	48	26	2
9	1	52	13	17	12	0 ♏	29	27	2
9	5	53	14	18	13	1	9	28	3
9	9	51	15	19	13	1	48	29	4
9	13	51	16	20	14	2	28	29	5
9	17	49	17	21	15	3	8	♐	6
9	21	46	18	21	16	3	47	1	7
9	25	43	19	22	16	4	27	2	8
9	29	39	20	23	17	5	6	2	9
9	33	34	21	24	18	5	45	3	10
9	37	29	22	25	19	6	24	4	11
9	41	23	23	26	19	7	3	5	12
9	45	16	24	27	20	7	42	5	13
9	49	8	25	28	21	8	20	6	14
9	53	0	26	28	21	8	59	7	15
9	56	52	27	29	22	9	37	8	16
10	0	42	28	♎	23	10	16	8	17
10	4	32	29	1	24	10	54	9	18
10	8	22	30	2	24	11	32	10	19

Sidereal Time. H.	M.	S.	10 ♍ °	11 ♎ °	12 ♎ °	Ascen ♏ °	′	2 ♐ °	3 ♑ °
10	8	22	0	2	24	11	32	10	19
10	12	11	1	3	25	12	11	11	20
10	15	59	2	4	26	12	49	11	21
10	19	47	3	4	26	13	26	12	21
10	23	35	4	5	27	14	5	13	22
10	27	22	5	6	28	14	43	14	23
10	31	8	6	7	29	15	20	15	24
10	34	54	7	8	29	15	58	15	25
10	38	39	8	9	♏	16	36	16	26
10	42	24	9	10	1	17	13	17	27
10	46	9	10	10	2	17	51	18	28
10	49	53	11	11	2	18	29	18	29
10	53	36	12	12	3	19	6	19	♒
10	57	20	13	13	4	19	44	20	1
11	1	3	14	14	5	20	21	21	2
11	4	46	15	14	5	20	59	22	4
11	8	28	16	15	6	21	36	22	5
11	12	10	17	16	7	22	14	23	6
11	15	52	18	17	7	22	51	24	7
11	19	33	19	18	8	23	29	25	8
11	23	15	20	19	9	24	6	26	9
11	26	56	21	19	9	24	44	26	10
11	30	37	22	20	10	25	21	27	11
11	34	18	23	21	11	25	59	28	12
11	37	58	24	22	11	26	37	29	13
11	41	39	25	23	12	27	14	♑	14
11	45	19	26	23	13	27	52	1	15
11	48	59	27	24	13	28	30	1	16
11	52	40	28	25	14	29	8	2	18
11	56	20	29	26	15	29	46	3	19
12	0	0	30	27	15	0 ♐	24	4	20

TABLES OF HOUSES FOR NEWCASTLE-ON-TYNE, Lat. 54°. 59′ N.

Sidereal Time			10	11	12	Ascen		2	3
			♎	♎	♏	♐		♑	♒
H.	M.	S.	°	°	°	°	′	°	°
12	0	0	0	27	15	0	24	4	20
12	3	40	1	27	16	1	2	5	21
12	7	20	2	28	17	1	41	6	22
12	11	1	3	29	17	2	19	7	23
12	14	41	4	♏	18	2	58	7	24
12	18	21	5	1	19	3	37	8	26
12	22	2	6	1	19	4	15	9	27
12	25	42	7	2	20	4	54	10	28
12	29	23	8	3	21	5	34	11	29
12	33	4	9	4	22	6	13	12	♓
12	36	45	10	5	22	6	53	13	1
12	40	27	11	5	23	7	32	14	3
12	44	8	12	6	24	8	12	15	4
12	47	50	13	7	24	8	53	16	5
12	51	32	14	8	25	9	33	17	6
12	55	14	15	9	26	10	14	18	8
12	58	57	16	9	26	10	55	19	9
13	2	40	17	10	27	11	36	20	10
13	6	24	18	11	28	12	18	21	11
13	10	7	19	12	29	13	0	22	13
13	13	51	20	13	29	13	42	23	14
13	17	36	21	13	♐	14	24	25	15
13	21	21	22	14	1	15	7	26	17
13	25	6	23	15	1	15	50	27	18
13	28	52	24	16	2	16	34	28	19
13	32	38	25	17	3	17	18	29	20
13	36	25	26	18	4	18	2	♒	22
13	40	13	27	18	4	18	47	2	23
13	44	1	28	19	5	19	33	3	24
13	47	49	29	20	6	20	19	4	26
13	51	38	30	21	7	21	5	5	27

Sidereal Time			10	11	12	Ascen		2	3
			♏	♏	♐	♐		♒	♓
H.	M.	S.	°	°	°	°	′	°	°
13	51	38	0	21	7	21	5	5	27
13	55	28	1	22	7	21	52	7	28
13	59	18	2	22	8	22	40	8	♈
14	3	8	3	23	9	23	28	9	1
14	7	0	4	24	10	24	16	11	2
14	10	52	5	25	10	25	6	12	4
14	14	44	6	26	11	25	56	14	5
14	18	37	7	27	12	26	47	15	6
14	22	31	8	27	13	27	38	17	8
14	26	26	9	28	14	28	30	18	9
14	30	21	10	29	14	29	24	20	11
14	34	17	11	♐	15	0♑	17	21	12
14	38	14	12	1	16	1	12	23	13
14	42	11	13	2	17	2	8	24	15
14	46	9	14	3	18	3	5	26	16
14	50	9	15	3	18	4	3	28	17
14	54	7	16	4	19	5	2	29	19
14	58	8	17	5	20	6	2	♓	20
15	2	8	18	6	21	7	3	3	21
15	6	10	19	7	22	8	6	5	23
15	10	12	20	8	23	9	10	6	24
15	14	16	21	9	24	10	15	8	26
15	18	19	22	9	24	11	22	10	27
15	22	24	23	10	25	12	31	12	28
15	26	29	24	11	26	13	41	14	♉
15	30	35	25	12	27	14	53	16	1
15	34	42	26	13	28	16	7	18	2
15	38	49	27	14	29	17	22	20	4
15	42	57	28	15	♑	18	40	22	5
15	47	6	29	16	1	20	0	24	6
15	51	16	30	17	2	21	22	26	7

Sidereal Time			10	11	12	Ascen		2	3
			♐	♐	♑	♑		♓	♉
H.	M.	S.	°	°	°	°	′	°	°
15	51	16	0	17	2	21	22	26	7
15	55	26	1	18	3	22	47	28	9
15	59	37	2	18	4	24	14	♈	10
16	3	48	3	19	5	25	44	2	11
16	8	1	4	20	6	27	16	4	13
16	12	13	5	21	7	28	52	6	14
16	16	27	6	22	8	0♒	31	8	15
16	20	41	7	23	9	2	13	10	16
16	24	55	8	24	10	3	58	12	18
16	29	11	9	25	11	5	47	14	19
16	33	26	10	26	12	7	40	16	20
16	37	42	11	27	13	9	37	18	21
16	41	59	12	28	14	11	38	20	23
16	46	17	13	29	16	13	43	22	24
16	50	34	14	♑	17	15	53	24	25
16	54	52	15	1	18	18	7	26	26
16	59	11	16	2	19	20	25	28	28
17	3	30	17	3	20	22	49	♉	29
17	7	49	18	4	22	25	17	1	♊
17	12	9	19	5	23	27	49	3	1
17	16	29	20	6	24	0♓	27	5	2
17	20	49	21	7	26	3	9	7	3
17	25	10	22	8	27	5	55	9	5
17	29	30	23	9	28	8	46	10	6
17	33	51	24	10	♒	11	40	12	7
17	38	13	25	11	1	14	37	14	8
17	42	34	26	12	2	17	38	15	9
17	46	55	27	13	4	20	41	17	10
17	51	17	28	14	5	23	46	19	11
17	55	38	29	15	7	26	53	20	12
18	0	0	30	16	8	30	0	22	14

Sidereal Time			10	11	12	Ascen		2	3
			♑	♑	♒	♈		♉	♊
H.	M.	S.	°	°	°	°	′	°	°
18	0	0	0	16	8	0	0	22	14
18	4	22	1	18	10	3	7	23	15
18	8	43	2	19	11	6	14	25	16
18	13	5	3	20	13	9	19	26	17
18	17	26	4	21	14	12	22	28	18
18	21	47	5	22	16	15	23	29	19
18	26	9	6	23	18	18	20	♊	20
18	30	30	7	24	20	21	14	2	21
18	34	50	8	25	21	24	5	3	22
18	39	11	9	27	23	26	51	4	23
18	43	31	10	28	25	29	33	6	24
18	47	51	11	29	27	2♉	11	7	25
18	52	11	12	♒	29	4	43	8	26
18	56	30	13	1	♓	7	11	10	27
19	0	49	14	2	2	9	35	11	28
19	5	8	15	4	4	11	53	12	29
19	9	26	16	5	6	14	7	13	♋
19	13	43	17	6	8	16	17	14	1
19	18	1	18	7	10	18	22	16	2
19	22	18	19	8	12	20	23	17	3
19	26	34	20	10	14	22	20	18	4
19	30	49	21	11	16	24	13	19	5
19	35	5	22	12	18	26	2	20	6
19	39	19	23	14	20	27	47	21	7
19	43	33	24	15	22	29	29	22	8
19	47	47	25	16	24	1♊	8	23	9
19	51	59	26	17	26	2	44	24	10
19	56	12	27	19	28	4	16	25	11
20	0	23	28	20	♈	5	46	26	12
20	4	34	29	21	2	7	13	27	13
20	8	44	30	23	4	8	38	28	13

Sidereal Time			10	11	12	Ascen		2	3
			♒	♒	♈	♊		♊	♋
H.	M.	S.	°	°	°	°	′	°	°
20	8	44	0	23	4	8	38	28	13
20	12	54	1	24	6	10	0	29	14
20	17	3	2	25	8	11	20	♋	15
20	21	11	3	26	10	12	38	1	16
20	25	18	4	28	12	13	53	2	17
20	29	25	5	29	14	15	7	3	18
20	33	31	6	♓	16	16	19	4	19
20	37	36	7	2	18	17	29	5	20
20	41	41	8	3	20	18	38	6	21
20	45	44	9	4	22	19	45	6	21
20	49	48	10	6	24	20	50	7	22
20	53	50	11	7	25	21	54	8	23
20	57	52	12	9	27	22	57	9	24
21	1	52	13	10	29	23	58	10	25
21	5	53	14	11	♉	24	58	11	26
21	9	51	15	13	2	25	57	12	27
21	13	51	16	14	4	26	55	12	28
21	17	49	17	15	6	27	52	13	28
21	21	46	18	17	7	28	48	14	29
21	25	43	19	18	9	29	43	15	♌
21	29	39	20	19	10	0♋	36	16	1
21	33	34	21	21	12	1	30	16	2
21	37	29	22	22	13	2	21	17	3
21	41	23	23	24	15	3	13	18	3
21	45	16	24	25	16	4	4	19	4
21	49	8	25	26	18	4	54	20	5
21	53	0	26	28	19	5	44	20	6
21	56	52	27	29	21	6	32	21	7
22	0	42	28	♈	22	7	20	22	8
22	4	32	29	2	23	8	8	23	8
22	8	22	30	3	25	8	55	23	9

Sidereal Time			10	11	12	Ascen		2	3
			♓	♈	♉	♋		♋	♌
H.	M.	S.	°	°	°	°	′	°	°
22	8	22	0	3	25	8	55	23	9
22	12	11	1	4	26	9	41	24	10
22	15	59	2	6	27	10	27	25	11
22	19	47	3	7	28	11	13	26	12
22	23	35	4	8	♊	11	57	26	12
22	27	22	5	10	1	12	42	27	13
22	31	8	6	11	2	13	26	28	14
22	34	54	7	12	3	14	10	29	15
22	38	39	8	13	4	14	53	29	16
22	42	24	9	15	5	15	36	♌	17
22	46	9	10	16	7	16	18	1	17
22	49	53	11	17	8	17	0	1	18
22	53	36	12	19	9	17	42	2	19
22	57	20	13	20	10	18	24	3	20
23	1	3	14	21	11	19	5	4	21
23	4	46	15	22	12	19	46	4	21
23	8	28	16	24	13	20	27	5	22
23	12	10	17	25	14	21	7	6	23
23	15	52	18	26	15	21	48	6	24
23	19	33	19	27	16	22	28	7	25
23	23	15	20	29	17	23	7	8	25
23	26	56	21	♉	18	23	47	8	26
23	30	37	22	1	19	24	26	9	27
23	34	18	23	2	20	25	6	10	28
23	37	58	24	3	21	25	45	11	29
23	41	39	25	4	22	26	23	11	29
23	45	19	26	6	23	27	2	12	♍
23	48	59	27	7	23	27	41	13	1
23	52	40	28	8	24	28	19	13	2
23	56	20	29	9	25	28	58	14	3
24	0	0	30	10	26	29	36	15	3

TABLES OF HOUSES FOR AYR, Latitude 55° 28′ *N.*

Sidereal Time. H.	M.	S.	10 ♈ °	11 ♉ °	12 ♊ °	Ascen ♌ °	′	2 ♌ °	3 ♍ °
0	0	0	0	10	26	0	2	15	3
0	3	40	1	11	27	0	40	15	4
0	7	20	2	12	28	1	18	16	5
0	11	1	3	13	29	1	56	17	6
0	14	41	4	14	♋	2	33	17	6
0	18	21	5	16	1	3	11	18	7
0	22	2	6	17	1	3	48	19	8
0	25	42	7	18	2	4	25	19	9
0	29	23	8	19	3	5	3	20	10
0	33	4	9	20	4	5	40	21	11
0	36	45	10	21	5	6	17	21	11
0	40	27	11	22	6	6	54	22	12
0	44	8	12	23	6	7	32	23	13
0	47	50	13	24	7	8	9	23	14
0	51	32	14	25	8	8	46	24	15
0	55	14	15	26	9	9	23	25	15
0	58	57	16	27	9	10	0	26	16
1	2	40	17	28	10	10	38	26	17
1	6	24	18	29	11	11	15	27	18
1	10	7	19	♊	12	11	52	28	19
1	13	51	20	2	13	12	29	28	20
1	17	36	21	3	13	13	7	29	20
1	21	21	22	4	14	13	44	♍	21
1	25	6	23	5	15	14	22	0	22
1	28	52	24	6	16	14	59	1	23
1	32	38	25	7	16	15	37	2	24
1	36	25	26	8	17	16	14	3	25
1	40	13	27	9	18	16	52	3	26
1	44	1	28	10	19	17	29	4	26
1	47	49	29	11	19	18	7	5	27
1	51	38	30	12	20	18	45	5	28

Sidereal Time. H.	M.	S.	10 ♉ °	11 ♊ °	12 ♋ °	Ascen ♌ °	′	2 ♍ °	3 ♍ °
1	51	38	0	12	20	18	45	5	28
1	55	28	1	13	21	19	23	6	29
1	59	18	2	14	22	20	1	7	♎
2	3	8	3	14	22	20	39	8	1
2	7	0	4	15	23	21	17	8	2
2	10	52	5	16	24	21	56	9	2
2	14	44	6	17	25	22	34	10	3
2	18	37	7	18	25	23	13	11	4
2	22	31	8	19	26	23	51	11	5
2	26	26	9	20	27	24	30	12	6
2	30	21	10	21	28	25	9	13	7
2	34	17	11	22	28	25	48	14	8
2	38	14	12	23	29	26	27	14	9
2	42	11	13	24	♌	27	6	15	9
2	46	9	14	25	1	27	45	16	10
2	50	9	15	26	1	28	25	17	11
2	54	7	16	27	2	29	4	17	12
2	58	8	17	28	3	29	44	18	13
3	2	8	18	29	4	0♍	24	19	14
3	6	10	19	♋	4	1	4	20	15
3	10	12	20	1	5	1	44	20	16
3	14	16	21	1	6	2	24	21	17
3	18	19	22	2	7	3	5	22	18
3	22	24	23	3	7	3	45	23	18
3	26	29	24	4	8	4	26	24	19
3	30	35	25	5	9	5	7	24	20
3	34	42	26	6	10	5	47	25	21
3	38	49	27	7	11	6	28	26	22
3	42	57	28	8	11	7	10	27	23
3	47	6	29	9	12	7	51	28	24
3	51	16	30	10	13	8	32	28	25

Sidereal Time. H.	M.	S.	10 ♊ °	11 ♋ °	12 ♌ °	Ascen ♍ °	′	2 ♍ °	3 ♎ °
3	51	16	0	10	13	8	32	28	25
3	55	26	1	11	14	9	14	29	26
3	59	37	2	12	14	9	55	♎	27
4	3	48	3	12	15	10	37	1	28
4	8	1	4	13	16	11	19	2	29
4	12	13	5	14	17	12	1	2	29
4	16	27	6	15	18	12	43	3	♏
4	20	41	7	16	18	13	26	4	1
4	24	55	8	17	19	14	8	5	2
4	29	11	9	18	20	14	50	6	3
4	33	26	10	19	21	15	33	6	4
4	37	42	11	20	22	16	16	7	5
4	41	59	12	21	22	16	58	8	6
4	46	17	13	22	23	17	41	9	7
4	50	34	14	23	24	18	24	10	8
4	54	52	15	23	25	19	7	11	9
4	59	11	16	24	26	19	50	11	10
5	3	30	17	25	26	20	34	12	11
5	7	49	18	26	27	21	17	13	12
5	12	9	19	27	28	22	0	14	12
5	16	29	20	28	29	22	44	15	13
5	20	49	21	29	♍	23	27	15	14
5	25	10	22	♌	0	24	11	16	15
5	29	30	23	1	1	24	54	17	16
5	33	51	24	2	2	25	38	18	17
5	38	13	25	3	3	26	21	19	18
5	42	34	26	4	4	27	5	20	19
5	46	55	27	5	5	27	49	20	20
5	51	17	28	5	5	28	33	21	21
5	55	38	29	6	6	29	16	22	22
6	0	0	30	7	7	30	0	23	23

Sidereal Time. H.	M.	S.	10 ♋ °	11 ♌ °	12 ♍ °	Ascen ♎ °	′	2 ♎ °	3 ♏ °
6	0	0	0	7	7	0	0	23	23
6	4	22	1	8	8	0	44	24	24
6	8	43	2	9	9	1	27	25	25
6	13	5	3	10	10	2	11	25	25
6	17	26	4	11	10	2	55	26	26
6	21	47	5	12	11	3	39	27	27
6	26	9	6	13	12	4	22	28	28
6	30	30	7	14	13	5	6	29	29
6	34	50	8	15	14	5	49	♏	♐
6	39	11	9	16	15	6	33	0	1
6	43	31	10	17	15	7	16	1	2
6	47	51	11	18	16	8	0	2	3
6	52	11	12	18	17	8	43	3	4
6	56	30	13	19	18	9	26	4	5
7	0	49	14	20	19	10	10	4	6
7	5	8	15	21	19	10	53	5	7
7	9	26	16	22	20	11	36	6	7
7	13	43	17	23	21	12	19	7	8
7	18	1	18	24	22	13	2	8	9
7	22	18	19	25	23	13	44	8	10
7	26	34	20	26	24	14	27	9	11
7	30	49	21	27	24	15	10	10	12
7	35	5	22	28	25	15	52	11	13
7	39	19	23	29	26	16	34	12	14
7	43	33	24	♍	27	17	17	12	15
7	47	47	25	1	28	17	59	13	16
7	51	59	26	1	28	18	41	14	17
7	56	12	27	2	29	19	23	15	18
8	0	23	28	3	♎	20	5	16	18
8	4	34	29	4	1	20	46	16	19
8	8	44	30	5	2	21	28	17	20

Sidereal Time. H.	M.	S.	10 ♌ °	11 ♍ °	12 ♎ °	Ascen ♎ °	′	2 ♏ °	3 ♐ °
8	8	44	0	5	2	21	28	17	20
8	12	54	1	6	2	22	9	18	21
8	17	3	2	7	3	22	50	19	22
8	21	11	3	8	4	23	32	19	23
8	25	19	4	9	5	24	13	20	24
8	29	25	5	10	6	24	53	21	25
8	33	31	6	11	6	25	34	22	26
8	37	36	7	12	7	26	15	23	27
8	41	41	8	12	8	26	55	23	28
8	45	44	9	13	9	27	36	24	29
8	49	48	10	14	10	28	16	25	29
8	53	50	11	15	10	28	56	26	♑
8	57	52	12	16	11	29	36	26	1
9	1	52	13	17	12	0♏	16	27	2
9	5	53	14	18	13	0	56	28	3
9	9	51	15	19	13	1	35	29	4
9	13	51	16	20	14	2	15	29	5
9	17	49	17	21	15	2	54	♐	6
9	21	46	18	21	16	3	33	1	7
9	25	43	19	22	16	4	12	2	8
9	29	39	20	23	17	4	51	2	9
9	33	34	21	24	18	5	30	3	10
9	37	29	22	25	19	6	9	4	11
9	41	23	23	26	19	6	47	5	12
9	45	16	24	27	20	7	26	5	13
9	49	8	25	28	21	8	4	6	14
9	53	0	26	28	22	8	43	7	15
9	56	52	27	29	22	9	21	8	16
10	0	42	28	♎	23	9	59	8	16
10	4	32	29	1	24	10	37	9	17
10	8	22	30	2	25	11	15	10	18

Sidereal Time. H.	M.	S.	10 ♍ °	11 ♎ °	12 ♎ °	Ascen ♏ °	′	2 ♐ °	3 ♑ °
10	8	22	0	2	25	11	15	10	18
10	12	11	1	3	25	11	53	11	19
10	15	59	2	4	26	12	31	11	20
10	19	47	3	4	27	13	8	12	21
10	23	35	4	5	27	13	46	13	22
10	27	22	5	6	28	14	23	14	23
10	31	8	6	7	29	15	1	14	24
10	34	54	7	8	♏	15	38	15	25
10	38	39	8	9	0	16	16	16	26
10	42	24	9	10	1	16	53	17	27
10	46	9	10	10	2	17	31	17	28
10	49	53	11	11	2	18	8	18	29
10	53	36	12	12	3	18	45	19	♒
10	57	20	13	13	4	19	22	20	2
11	1	3	14	14	4	20	0	21	3
11	4	46	15	15	5	20	37	21	4
11	8	28	16	15	6	21	14	22	5
11	12	10	17	16	7	21	51	23	6
11	15	52	18	17	7	22	28	24	7
11	19	33	19	18	8	23	6	24	8
11	23	15	20	19	9	23	43	25	9
11	26	56	21	19	9	24	20	26	10
11	30	37	22	20	10	24	57	27	11
11	34	18	23	21	11	25	35	28	12
11	37	58	24	22	11	26	12	29	13
11	41	39	25	23	12	26	49	29	14
11	45	19	26	24	13	27	27	♑	16
11	48	59	27	24	13	28	4	1	17
11	52	40	28	25	14	28	42	2	18
11	56	20	29	26	15	29	20	3	19
12	0	0	30	27	15	29	58	4	20

TABLES OF HOUSES FOR AYR, *Latitude* 55° 28′ N.

Sidereal Time.			10 ♎	11 ♎	12 ♏	Ascen ♏		2 ♑	3 ♒
H.	M.	S.	°	°	°	°	′	°	°
12	0	0	0	27	15	29	58	4	20
12	3	40	1	28	16	0 ♐	35	5	21
12	7	20	2	28	17	1	13	5	22
12	11	1	3	29	18	1	52	6	24
12	14	41	4	♏	18	2	30	7	25
12	18	21	5	1	19	3	8	8	26
12	22	2	6	2	20	3	47	9	27
12	25	42	7	2	20	4	25	10	28
12	29	23	8	3	21	5	4	11	29
12	33	4	9	4	22	5	43	12	♓
12	36	45	10	5	22	6	22	13	2
12	40	27	11	6	23	7	2	14	3
12	44	8	12	6	24	7	41	15	4
12	47	50	13	7	24	8	21	16	5
12	51	32	14	8	25	9	1	17	7
12	55	14	15	9	26	9	42	18	8
12	58	57	16	10	27	10	22	19	9
13	2	40	17	10	27	11	3	20	10
13	6	24	18	11	28	11	44	21	12
13	10	7	19	12	29	12	26	22	13
13	13	51	20	13	29	13	8	23	14
13	17	36	21	14	♐	13	50	25	15
13	21	21	22	14	1	14	32	26	17
13	25	6	23	15	1	15	15	27	18
13	28	52	24	16	2	15	58	28	19
13	32	38	25	17	3	16	42	29	21
13	36	25	26	18	4	17	26	♒	22
13	40	13	27	19	4	18	10	2	23
13	44	1	28	19	5	18	55	3	24
13	47	49	29	20	6	19	40	4	26
13	51	38	30	21	7	20	26	6	27

Sidereal Time.			10 ♏	11 ♏	12 ♐	Ascen ♐		2 ♒	3 ♓
H.	M.	S.	°	°	°	°	′	°	°
13	51	38	0	21	7	20	26	6	27
13	55	28	1	22	7	21	13	7	28
13	59	18	2	23	8	22	0	8	♈
14	3	8	3	23	9	22	47	10	1
14	7	0	4	24	10	23	35	11	2
14	10	52	5	25	10	24	24	13	4
14	14	44	6	26	11	25	14	14	5
14	18	37	7	27	12	26	4	16	6
14	22	31	8	27	13	26	55	17	8
14	26	26	9	28	13	27	46	19	9
14	30	21	10	29	14	28	39	20	10
14	34	17	11	♐	15	29	32	22	12
14	38	14	12	1	16	0 ♑	27	23	13
14	42	11	13	2	17	1	22	25	14
14	46	9	14	3	17	2	18	27	16
14	50	9	15	3	18	3	15	28	17
14	54	7	16	4	19	4	13	♓	19
14	58	8	17	5	20	5	13	2	20
15	2	8	18	6	21	6	14	3	21
15	6	10	19	7	22	7	16	5	23
15	10	12	20	8	22	8	19	7	24
15	14	16	21	8	23	9	24	9	25
15	18	19	22	9	24	10	30	11	27
15	22	24	23	10	25	11	38	13	28
15	26	29	24	11	26	12	47	14	29
15	30	35	25	12	27	13	58	16	♉
15	34	42	26	13	28	15	11	18	2
15	38	49	27	14	29	16	26	20	3
15	42	57	28	15	♑	17	43	22	5
15	47	6	29	16	1	19	3	24	6
15	51	16	30	16	2	20	25	26	7

Sidereal Time.			10 ♐	11 ♐	12 ♑	Ascen ♑		2 ♓	3 ♉
H.	M.	S.	°	°	°	°	′	°	°
15	51	16	0	16	2	20	25	26	7
15	55	26	1	17	3	21	48	28	9
15	59	37	2	18	4	23	15	♈	10
16	3	48	3	19	5	24	44	2	11
16	8	1	4	20	6	26	16	4	12
16	12	13	5	21	7	27	52	6	14
16	16	27	6	22	8	29	30	8	15
16	20	41	7	23	9	1 ♒	12	10	16
16	24	55	8	24	10	2	57	12	18
16	29	11	9	25	11	4	46	14	19
16	33	26	10	26	12	6	39	16	20
16	37	42	11	27	13	8	37	18	21
16	41	59	12	28	14	10	38	19	23
16	46	17	13	29	15	12	44	21	24
16	50	34	14	♑	17	14	54	23	25
16	54	52	15	1	18	17	9	25	26
16	59	11	16	2	19	19	30	27	27
17	3	30	17	3	20	21	55	29	29
17	7	49	18	4	22	24	25	♉	♊
17	12	9	19	5	23	27	0	3	1
17	16	29	20	6	24	29	40	5	2
17	20	49	21	7	26	2 ♓	25	6	3
17	25	10	22	8	27	5	15	8	5
17	29	30	23	9	28	8	10	10	6
17	33	51	24	10	♒	11	8	12	7
17	38	13	25	11	1	14	11	13	8
17	42	34	26	12	3	17	16	15	9
17	46	55	27	13	4	20	25	17	10
17	51	17	28	14	6	23	35	18	11
17	55	38	29	15	7	26	47	20	13
18	0	0	30	16	9	30	0	21	14

Sidereal Time.			10 ♑	11 ♑	12 ♒	Ascen ♈		2 ♉	3 ♊
H.	M.	S.	°	°	°	°	′	°	°
18	0	0	0	16	9	0	0	21	14
18	4	22	1	17	10	3	13	23	16
18	8	43	2	19	12	6	25	24	16
18	13	5	3	20	13	9	35	26	17
18	17	26	4	21	15	12	44	27	18
18	21	47	5	22	17	15	49	29	19
18	26	9	6	23	18	18	52	♊	20
18	30	30	7	24	20	21	50	2	21
18	34	50	8	25	22	24	45	3	22
18	39	11	9	27	24	27	35	4	23
18	43	31	10	28	25	0 ♉	20	6	24
18	47	51	11	29	27	3	0	7	25
18	52	11	12	♒	29	5	35	8	26
18	56	30	13	1	♓	8	5	10	27
19	0	49	14	3	3	10	30	11	28
19	5	8	15	4	5	12	51	12	29
19	9	26	16	5	7	15	6	13	♋
19	13	43	17	6	9	17	16	15	1
19	18	1	18	7	11	19	22	16	2
19	22	18	19	9	12	21	23	17	3
19	26	34	20	10	14	23	21	18	4
19	30	49	21	11	16	25	14	19	5
19	35	5	22	12	18	27	3	20	6
19	39	19	23	14	20	28	48	21	7
19	43	33	24	15	22	0 ♊	30	22	8
19	47	47	25	16	24	2	8	23	9
19	51	59	26	18	26	3	44	24	10
19	56	12	27	19	28	5	16	25	11
20	0	23	28	20	♈	6	45	26	12
20	4	34	29	21	2	8	12	27	13
20	8	44	30	23	4	9	35	28	14

Sidereal Time.			10 ♒	11 ♒	12 ♈	Ascen ♊		2 ♊	3 ♋
H.	M.	S.	°	°	°	°	′	°	°
20	8	44	0	23	4	9	35	28	14
20	12	54	1	24	6	10	57	29	14
20	17	3	2	25	8	12	17	♋	15
20	21	11	3	27	10	13	34	1	16
20	25	18	4	28	12	14	49	2	17
20	29	25	5	29	14	16	2	3	18
20	33	31	6	♓	16	17	13	4	19
20	37	36	7	2	18	18	22	5	20
20	41	41	8	3	19	19	30	6	21
20	45	44	9	5	21	20	36	7	22
20	49	48	10	6	23	21	41	8	22
20	53	50	11	7	25	22	44	8	23
20	57	52	12	9	27	23	46	9	24
21	1	52	13	10	28	24	47	10	25
21	5	53	14	11	♉	25	47	11	26
21	9	51	15	13	2	26	45	12	27
21	13	51	16	14	3	27	42	13	27
21	17	49	17	16	5	28	38	13	28
21	21	46	18	17	7	29	33	14	29
21	25	43	19	18	8	0 ♋	28	15	♌
21	29	39	20	20	10	1	21	16	1
21	33	34	21	21	11	2	14	17	2
21	37	29	22	22	13	3	5	17	3
21	41	23	23	24	14	3	56	18	3
21	45	16	24	25	16	4	46	19	4
21	49	8	25	26	17	5	36	20	5
21	53	0	26	28	19	6	25	20	6
21	56	52	27	29	20	7	13	21	7
22	0	42	28	♈	22	8	0	22	7
22	4	32	29	2	23	8	47	23	8
22	8	22	30	3	24	9	34	23	9

Sidereal Time.			10 ♓	11 ♈	12 ♉	Ascen ♋		2 ♋	3 ♌
H.	M.	S.	°	°	°	°	′	°	°
22	8	22	0	3	24	9	34	23	9
22	12	11	1	4	26	10	20	24	10
22	15	59	2	6	27	11	5	25	11
22	19	47	3	7	28	11	50	26	11
22	23	35	4	8	29	12	34	26	12
22	27	22	5	9	♊	13	18	27	13
22	31	8	6	11	2	14	2	28	14
22	34	54	7	12	3	14	45	29	15
22	38	39	8	13	4	15	28	29	16
22	42	24	9	15	5	16	10	♌	16
22	46	9	10	16	7	16	52	1	17
22	49	53	11	17	8	17	34	1	18
22	53	36	12	18	9	18	16	2	19
22	57	20	13	20	10	18	57	3	20
23	1	3	14	21	11	19	38	3	20
23	4	46	15	22	12	20	18	4	21
23	8	28	16	23	13	20	59	5	22
23	12	10	17	25	14	21	39	6	23
23	15	52	18	26	15	22	19	6	24
23	19	33	19	27	16	22	58	7	24
23	23	15	20	28	17	23	38	8	25
23	26	56	21	29	18	24	17	8	26
23	30	37	22	♉	19	24	56	9	27
23	34	18	23	2	20	25	35	10	28
23	37	58	24	3	21	26	13	10	28
23	41	39	25	4	22	26	52	11	29
23	45	19	26	5	23	27	30	12	♍
23	48	59	27	6	24	28	8	12	1
23	52	40	28	8	25	28	47	13	2
23	56	20	29	9	25	29	25	14	2
24	0	0	30	10	26	0 ♌	2	15	3

TABLES OF HOUSES FOR GLASGOW, Latitude 55° 53′ *N.*

Sidereal Time. H.	M.	S.	10 ♈ °	11 ♉ °	12 ♊ °	Ascen ♌ °	Ascen ′	2 ♌ °	3 ♍ °
0	0	0	0	11	27	0	28	15	4
0	3	40	1	12	28	1	5	16	4
0	7	20	2	13	29	1	42	17	5
0	11	0	3	14	♋	2	21	18	6
0	14	41	4	15	0	2	57	19	7
0	18	21	5	16	1	3	34	19	8
0	22	2	6	17	2	4	12	20	8
0	25	42	7	18	3	4	48	20	9
0	29	23	8	19	4	5	25	21	10
0	33	4	9	20	5	6	4	21	11
0	36	45	10	21	5	6	40	22	12
0	40	26	11	23	6	7	17	23	13
0	44	8	12	24	7	7	54	23	13
0	47	50	13	25	7	8	31	24	14
0	51	32	14	26	8	9	8	25	15
0	55	14	15	27	9	9	45	25	16
0	58	57	16	28	10	10	22	26	17
1	2	40	17	29	11	11	0	27	17
1	6	23	18	♊	12	11	36	28	18
1	10	7	19	1	12	12	13	28	19
1	13	51	20	2	13	12	50	29	20
1	17	35	21	3	14	13	28	♍	21
1	21	20	22	4	15	14	4	0	21
1	25	6	23	5	15	14	41	1	22
1	28	52	24	6	16	15	18	2	23
1	32	38	25	7	17	15	55	2	24
1	36	25	26	8	18	16	32	3	25
1	40	12	27	9	18	17	10	4	26
1	44	0	28	10	19	17	47	4	26
1	47	48	29	11	20	18	24	5	27
1	51	37	30	12	21	19	3	6	28

Sidereal Time. H.	M.	S.	10 ♉ °	11 ♊ °	12 ♋ °	Ascen ♌ °	Ascen ′	2 ♍ °	3 ♍ °
1	51	37	0	12	21	19	3	6	28
1	55	27	1	13	22	19	39	7	29
1	59	17	2	14	22	20	17	7	♎
2	3	8	3	15	23	20	56	8	1
2	6	59	4	16	24	21	33	9	2
2	10	51	5	17	25	22	11	10	2
2	14	44	6	18	25	22	51	10	3
2	18	37	7	19	26	23	28	11	4
2	22	31	8	20	27	24	5	12	5
2	26	25	9	21	28	24	44	12	6
2	30	20	10	22	28	25	21	13	7
2	34	16	11	22	29	26	1	14	8
2	38	13	12	23	♌	26	40	15	8
2	42	10	13	24	1	27	19	16	9
2	46	8	14	25	1	27	59	16	10
2	50	7	15	26	2	28	39	17	11
2	54	7	16	27	3	29	18	18	12
2	58	7	17	28	4	29	57	18	13
3	2	8	18	29	4	0♍	37	19	14
3	6	9	19	♋	5	1	15	20	15
3	10	12	20	1	6	1	54	21	16
3	14	15	21	2	7	2	35	21	16
3	18	19	22	3	7	3	15	22	17
3	22	23	23	4	8	3	55	23	18
3	26	29	24	5	9	4	35	24	19
3	30	35	25	5	10	5	16	24	20
3	34	41	26	6	10	5	57	25	21
3	38	49	27	7	11	6	38	26	22
3	42	57	28	8	12	7	18	27	23
3	47	6	29	9	13	8	0	28	24
3	51	15	30	10	14	8	40	28	25

Sidereal Time. H.	M.	S.	10 ♊ °	11 ♋ °	12 ♌ °	Ascen ♍ °	Ascen ′	2 ♍ °	3 ♎ °
3	51	15	0	10	14	8	40	28	25
3	55	25	1	11	14	9	22	29	25
3	59	36	2	12	15	10	3	♎	26
4	3	48	3	13	16	10	45	1	27
4	8	0	4	14	17	11	26	2	28
4	12	13	5	15	17	12	8	3	29
4	16	26	6	16	18	12	51	4	♏
4	20	40	7	16	19	13	33	4	1
4	24	55	8	17	20	14	15	5	2
4	29	10	9	18	21	14	57	6	3
4	33	26	10	19	21	15	39	6	4
4	37	42	11	20	22	16	21	7	5
4	41	59	12	21	23	17	4	8	6
4	46	16	13	22	24	17	47	9	6
4	50	34	14	23	25	18	30	10	7
4	54	52	15	24	25	19	11	10	8
4	59	10	16	25	26	19	54	11	9
5	3	29	17	26	27	20	36	12	10
5	7	49	18	27	28	21	20	13	11
5	12	9	19	28	29	22	3	14	12
5	16	29	20	29	29	22	46	14	13
5	20	49	21	29	♍	23	30	15	14
5	25	9	22	♌	1	24	12	16	15
5	29	30	23	1	2	24	56	17	16
5	33	51	24	2	3	25	40	18	17
5	38	12	25	3	3	26	22	18	18
5	42	34	26	4	4	27	6	19	19
5	46	55	27	5	5	27	49	20	19
5	51	17	28	6	6	28	33	21	20
5	55	38	29	7	7	29	16	22	21
6	0	0	30	8	7	30	0	23	22

Sidereal Time. H.	M.	S.	10 ♋ °	11 ♌ °	12 ♍ °	Ascen ♎ °	Ascen ′	2 ♎ °	3 ♏ °
6	0	0	0	8	7	0	0	23	22
6	4	22	1	9	8	0	44	23	23
6	8	43	2	10	9	1	27	24	24
6	13	5	3	11	10	2	11	25	25
6	17	26	4	11	11	2	54	26	26
6	21	48	5	12	12	3	37	27	27
6	26	9	6	13	12	4	20	27	28
6	30	30	7	14	13	5	4	28	29
6	34	51	8	15	14	5	47	29	♐
6	39	11	9	16	15	6	30	♏	1
6	43	31	10	17	16	7	13	1	2
6	47	51	11	18	16	7	56	1	2
6	52	11	12	19	17	8	39	2	3
6	56	31	13	20	18	9	23	3	4
7	0	50	14	21	19	10	7	4	5
7	5	8	15	22	20	10	49	5	6
7	9	26	16	23	21	11	31	5	7
7	13	44	17	24	21	12	14	6	8
7	18	1	18	24	22	12	56	7	9
7	22	18	19	25	23	13	39	8	10
7	26	34	20	26	24	14	22	9	11
7	30	50	21	27	25	15	3	9	12
7	35	5	22	28	25	15	45	10	13
7	39	20	23	29	26	16	28	11	14
7	43	34	24	♍	27	17	9	12	14
7	47	47	25	1	28	17	51	13	15
7	52	0	26	2	29	18	33	13	16
7	56	12	27	3	29	19	15	14	17
8	0	24	28	4	♎	19	57	15	18
8	4	35	29	5	1	20	39	16	19
8	8	45	30	5	2	21	20	16	20

Sidereal Time. H.	M.	S.	10 ♌ °	11 ♍ °	12 ♎ °	Ascen ♎ °	Ascen ′	2 ♏ °	3 ♐ °
8	8	45	0	5	2	21	20	16	20
8	12	54	1	6	2	22	1	17	21
8	17	3	2	7	3	22	41	18	22
8	21	11	3	8	4	23	21	19	23
8	25	19	4	9	5	24	3	20	24
8	29	26	5	10	6	24	45	20	25
8	33	31	6	11	6	25	24	21	25
8	37	37	7	12	7	26	6	22	26
8	41	41	8	13	8	26	44	23	27
8	45	45	9	14	9	27	24	23	28
8	49	48	10	15	9	28	5	24	29
8	53	51	11	15	10	28	45	25	♑
8	57	52	12	16	11	29	23	26	1
9	1	53	13	17	12	0♏	5	26	2
9	5	53	14	18	12	0	43	27	3
9	9	53	15	19	13	1	22	28	4
9	13	52	16	20	14	2	2	29	5
9	17	50	17	21	15	2	40	29	6
9	21	47	18	22	15	3	20	♐	7
9	25	44	19	22	16	3	58	1	8
9	29	40	20	23	17	4	37	2	9
9	33	35	21	24	18	5	15	2	9
9	37	29	22	25	18	5	54	3	10
9	41	23	23	26	19	6	32	4	11
9	45	16	24	27	20	7	9	5	12
9	49	9	25	28	21	7	49	5	13
9	53	1	26	28	21	8	28	6	14
9	56	52	27	29	22	9	5	7	15
10	0	43	28	♎	23	9	43	8	16
10	4	33	29	1	23	10	20	8	17
10	8	23	30	2	24	10	57	9	18

Sidereal Time. H.	M.	S.	10 ♍ °	11 ♎ °	12 ♎ °	Ascen ♏ °	Ascen ′	2 ♐ °	3 ♑ °
10	8	23	0	2	24	10	57	9	18
10	12	12	1	3	25	11	36	10	19
10	16	0	2	4	26	12	14	11	20
10	19	48	3	4	26	12	50	12	21
10	23	35	4	5	27	13	27	12	22
10	27	22	5	6	28	14	5	13	23
10	31	8	6	7	28	14	42	14	24
10	34	54	7	8	29	15	18	14	25
10	38	40	8	9	♏	15	57	15	26
10	42	25	9	9	0	16	33	16	27
10	46	9	10	10	1	17	10	17	28
10	49	53	11	11	2	17	46	18	29
10	53	37	12	12	3	18	24	18	♒
10	57	20	13	13	3	19	2	19	1
11	1	3	14	13	4	19	38	20	2
11	4	46	15	14	5	20	15	21	3
11	8	28	16	15	5	20	52	22	4
11	12	10	17	16	6	21	30	22	5
11	15	52	18	17	7	22	6	23	6
11	19	34	19	18	7	22	44	24	7
11	23	15	20	18	8	23	21	25	8
11	26	56	21	19	9	23	57	25	9
11	30	37	22	20	9	24	31	26	10
11	34	18	23	21	10	25	13	27	12
11	37	58	24	22	11	25	50	28	13
11	41	39	25	22	11	26	28	29	14
11	45	19	26	23	12	27	4	♑	15
11	49	0	27	24	13	27	41	0	16
11	52	40	28	25	14	28	7	1	17
11	56	20	29	26	14	28	56	2	18
12	0	0	30	26	15	29	33	3	19

TABLES OF HOUSES FOR GLASGOW, *Latitude* 55° 53′ N.

Sidereal Time			10 ♎	11 ♎	12 ♏	Ascen ♏		2 ♑	3 ♒
H.	M.	S.	°	°	°	°	′	°	°
12	0	0	0	26	15	29	33	3	19
12	3	40	1	27	16	0 ♐	10	4	20
12	7	20	2	28	16	0	46	5	22
12	11	1	3	29	17	1	24	6	23
12	14	41	4	♏	18	2	1	7	24
12	18	21	5	1	18	2	39	7	25
12	22	2	6	2	19	3	16	8	26
12	25	42	7	3	20	3	55	9	27
12	29	23	8	4	20	4	34	10	29
12	33	4	9	4	21	5	13	11	♓
12	36	45	10	5	22	5	54	12	1
12	40	27	11	6	22	6	33	13	3
12	44	8	12	7	23	7	12	14	4
12	47	50	13	7	24	7	52	15	5
12	51	32	14	8	24	8	32	16	6
12	55	14	15	9	25	9	13	17	7
12	58	57	16	9	26	9	53	18	8
13	2	40	17	10	27	10	33	19	10
13	6	24	18	11	27	11	13	20	11
13	10	7	19	12	28	11	53	21	12
13	13	51	20	12	29	12	35	22	13
13	17	36	21	13	29	13	17	23	15
13	21	21	22	14	♐	13	39	25	16
13	25	6	23	15	1	14	42	26	17
13	28	52	24	16	2	15	26	27	19
13	32	38	25	16	2	16	9	28	20
13	36	25	26	17	3	16	52	29	22
13	40	13	27	18	4	17	36	♒	23
13	44	1	28	19	4	18	21	1	24
13	47	49	29	20	5	19	6	3	25
13	51	38	30	20	6	19	51	4	27

Sidereal Time			10 ♏	11 ♏	12 ♐	Ascen ♐		2 ♒	3 ♓
H.	M.	S.	°	°	°	°	′	°	°
13	51	38	0	20	6	19	51	4	27
13	55	28	1	21	7	20	37	6	28
13	59	18	2	22	7	21	24	7	♈
14	3	8	3	23	8	22	12	8	1
14	7	0	4	24	9	22	59	10	2
14	10	52	5	25	10	23	46	11	4
14	14	44	6	25	10	24	36	13	5
14	18	37	7	26	11	25	28	14	7
14	22	31	8	27	12	26	17	16	8
14	26	26	9	28	13	27	8	17	9
14	30	21	10	29	14	28	0	19	11
14	34	17	11	30	14	28	53	20	12
14	38	14	12	♐	15	29	45	22	13
14	42	11	13	1	16	0 ♑	39	24	15
14	46	9	14	2	17	1	34	25	16
14	50	9	15	3	18	2	33	27	18
14	54	7	16	4	18	3	31	29	19
14	58	8	17	5	19	4	30	♓	20
15	2	8	18	5	20	5	29	2	22
15	6	10	19	6	21	6	29	4	23
15	10	12	20	7	22	7	32	6	24
15	14	16	21	8	23	8	36	8	26
15	18	19	22	9	24	9	42	10	27
15	22	24	23	10	24	10	50	12	29
15	26	29	24	11	25	12	0	14	♉
15	30	35	25	12	26	13	10	16	1
15	34	42	26	13	27	14	22	18	3
15	38	49	27	13	28	15	37	20	4
15	42	57	28	14	29	16	52	22	5
15	47	6	29	15	♑	18	12	24	7
15	51	16	30	16	1	19	34	26	8

Sidereal Time			10 ♐	11 ♐	12 ♑	Ascen ♑		2 ♓	3 ♉
H.	M.	S.	°	°	°	°	′	°	°
15	51	16	0	16	1	19	34	26	8
15	55	26	1	17	2	20	56	28	9
15	59	37	2	18	3	22	21	♈	11
16	3	48	3	19	4	23	51	2	12
16	8	1	4	20	5	25	23	4	13
16	12	13	5	21	6	26	57	6	14
16	16	27	6	22	7	28	35	8	16
16	20	41	7	23	8	0 ♒	16	10	17
16	24	55	8	24	9	2	1	12	18
16	29	11	9	24	10	3	50	14	19
16	33	26	10	25	11	5	43	16	21
16	37	42	11	26	12	7	42	18	22
16	41	59	12	27	14	9	45	20	23
16	46	17	13	28	15	11	52	22	24
16	50	34	14	29	16	14	1	24	26
16	54	52	15	♑	17	16	17	26	27
16	59	11	16	1	18	18	38	28	28
17	3	30	17	2	19	21	6	♉	29
17	7	49	18	3	21	23	39	2	♊
17	12	9	19	4	22	26	15	4	2
17	16	29	20	5	23	28	58	6	3
17	20	49	21	6	24	1 ♓	49	8	4
17	25	10	22	7	26	4	40	9	5
17	29	30	23	8	27	7	36	11	6
17	33	51	24	9	28	10	41	13	7
17	38	13	25	11	♒	13	47	15	9
17	42	34	26	12	1	16	57	16	10
17	46	55	27	13	3	20	12	18	11
17	51	17	28	14	4	23	26	20	12
17	55	38	29	15	5	26	44	21	13
18	0	0	30	16	7	30	0	23	14

Sidereal Time			10 ♑	11 ♑	12 ♒	Ascen ♈		2 ♉	3 ♊
H.	M.	S.	°	°	°	°	′	°	°
18	0	0	0	16	7	0	0	23	14
18	4	22	1	17	9	3	17	24	15
18	8	43	2	18	10	6	32	26	16
18	13	5	3	19	12	9	49	27	17
18	17	26	4	20	14	13	4	29	18
18	21	47	5	21	16	16	14	♊	19
18	26	9	6	22	17	19	20	1	21
18	30	30	7	24	19	22	24	3	22
18	34	50	8	25	21	25	20	4	23
18	39	11	9	26	22	28	14	6	24
18	43	31	10	27	24	1 ♉	2	7	25
18	47	51	11	28	26	3	46	8	26
18	52	11	12	♒	28	6	23	9	27
18	56	30	13	1	♓	8	56	11	28
19	0	49	14	2	2	11	22	12	29
19	5	8	15	3	4	13	45	13	♋
19	9	26	16	4	6	15	59	14	1
19	13	43	17	6	8	18	10	15	2
19	18	1	18	7	10	20	16	16	3
19	22	18	19	8	12	22	17	18	4
19	26	34	20	9	14	24	15	19	5
19	30	49	21	11	16	26	8	20	6
19	35	5	22	12	18	27	27	21	7
19	39	19	23	13	20	29	42	22	8
19	43	33	24	14	22	1 ♊	23	23	9
19	47	47	25	15	24	3	1	24	9
19	51	59	26	17	26	4	36	25	10
19	56	12	27	18	28	6	9	26	11
20	0	23	28	20	♈	7	39	27	12
20	4	34	29	21	2	9	4	28	13
20	8	44	30	22	4	10	27	29	14

Sidereal Time			10 ♒	11 ♒	12 ♈	Ascen ♊		2 ♊	3 ♋
H.	M.	S.	°	°	°	°	′	°	°
20	8	44	0	22	4	10	27	29	14
20	12	54	1	23	6	11	48	♋	15
20	17	3	2	25	8	13	7	1	16
20	21	11	3	26	10	14	23	2	17
20	25	18	4	27	12	15	57	3	17
20	29	25	5	29	14	16	50	4	18
20	33	31	6	♓	16	18	0	5	19
20	37	36	7	1	18	19	9	6	20
20	41	41	8	3	20	20	17	6	21
20	45	44	9	4	22	21	23	7	22
20	49	48	10	5	24	22	29	8	23
20	53	50	11	7	26	23	32	9	24
20	57	52	12	8	28	24	32	10	25
21	1	52	13	10	♉	25	31	11	25
21	5	53	14	11	1	26	30	12	26
21	9	51	15	12	3	27	28	12	27
21	13	51	16	14	5	28	26	13	28
21	17	49	17	15	6	29	21	14	29
21	21	46	18	17	8	0 ♋	15	15	30
21	25	43	19	18	10	1	8	16	♌
21	29	39	20	20	11	2	1	16	1
21	33	34	21	21	13	2	54	17	2
21	37	29	22	22	14	3	45	18	3
21	41	23	23	23	16	4	35	19	4
21	45	16	24	24	17	5	25	20	5
21	49	8	25	26	19	6	14	20	5
21	53	0	26	28	20	7	3	21	6
21	56	52	27	29	22	7	50	22	7
22	0	42	28	♈	23	8	37	23	8
22	4	32	29	2	24	9	25	23	9
22	8	22	30	3	26	10	11	24	10

Sidereal Time			10 ♓	11 ♈	12 ♉	Ascen ♋		2 ♋	3 ♌
H.	M.	S.	°	°	°	°	′	°	°
22	8	22	0	3	26	10	11	24	10
22	12	11	1	4	27	10	56	25	10
22	15	59	2	6	28	11	41	26	11
22	19	47	3	7	29	12	25	26	12
22	23	35	4	8	♊	13	9	27	13
22	27	22	5	10	2	13	53	28	14
22	31	8	6	11	3	14	36	28	14
22	34	54	7	12	4	15	19	29	15
22	38	39	8	14	5	16	0	♌	16
22	42	24	9	15	7	16	42	1	17
22	46	9	10	16	8	17	25	1	18
22	49	53	11	18	9	18	7	2	18
22	53	36	12	19	10	18	47	3	19
22	57	20	13	20	11	19	28	4	20
23	1	3	14	21	12	20	9	4	21
23	4	46	15	23	13	20	49	5	22
23	8	28	16	24	14	21	30	6	22
23	12	10	17	25	15	22	10	6	23
23	15	52	18	26	16	22	48	7	24
23	19	33	19	28	17	23	27	8	25
23	23	15	20	29	18	24	7	8	26
23	26	56	21	♉	19	24	48	9	26
23	30	37	22	1	20	25	27	10	27
23	34	18	23	2	21	26	5	10	28
23	37	58	24	4	22	26	44	11	29
23	41	39	25	5	23	27	22	12	30
23	45	19	26	6	23	28	0	12	♍
23	48	59	27	7	24	28	37	13	1
23	52	40	28	8	25	29	15	14	2
23	56	20	29	10	26	29	51	14	3
24	0	0	30	11	27	0 ♌	29	15	4

TABLES OF HOUSES FOR DUNDEE, Latitude 56° 28′ N.

Sidereal Time H.	M.	S.	10 ♈ °	11 ♉ °	12 ♊ °	Ascen ♌ °	′	2 ♌ °	3 ♍ °
0	0	0	0	10	27	0	59	15	3
0	3	40	1	11	28	1	36	16	4
0	7	20	2	13	29	2	13	16	5
0	11	1	3	14	♋	2	50	17	6
0	14	41	4	15	1	3	27	18	7
0	18	21	5	16	2	4	4	18	7
0	22	2	6	17	3	4	40	19	8
0	25	42	7	18	3	5	17	20	9
0	29	23	8	19	4	5	54	20	10
0	33	4	9	20	5	6	30	21	11
0	36	45	10	22	6	7	7	22	11
0	40	27	11	23	7	7	43	23	12
0	44	8	12	24	7	8	20	23	13
0	47	50	13	25	8	8	57	24	14
0	51	32	14	26	9	9	33	25	15
0	55	14	15	27	10	10	10	25	16
0	58	57	16	28	10	10	46	26	16
1	2	40	17	29	11	11	23	27	17
1	6	24	18	♊	12	12	0	27	18
1	10	7	19	1	13	12	36	28	19
1	13	51	20	2	14	13	13	29	20
1	17	36	21	3	14	13	49	29	21
1	21	21	22	4	15	14	26	♍	21
1	25	6	23	5	16	15	3	1	22
1	28	52	24	6	17	15	40	2	23
1	32	38	25	7	17	16	17	2	24
1	36	25	26	8	18	16	54	3	25
1	40	13	27	9	19	17	31	4	26
1	44	1	28	10	20	18	8	4	26
1	47	49	29	11	20	18	45	5	27
1	51	38	30	12	21	19	22	6	28

Sidereal Time H.	M.	S.	10 ♉ °	11 ♊ °	12 ♋ °	Ascen ♌ °	′	2 ♍ °	3 ♍ °
1	51	38	0	12	21	19	22	6	28
1	55	28	1	13	22	19	59	6	29
1	59	18	2	14	22	20	37	7	♎
2	3	8	3	15	23	21	14	8	1
2	7	0	4	16	24	21	52	9	2
2	10	52	5	17	25	22	30	9	2
2	14	44	6	18	25	23	8	10	3
2	18	37	7	19	26	23	45	11	4
2	22	31	8	20	27	24	23	12	5
2	26	26	9	21	28	25	2	12	6
2	30	21	10	22	28	25	40	13	7
2	34	17	11	23	29	26	18	14	8
2	38	14	12	24	♌	26	57	15	9
2	42	11	13	25	1	27	35	15	9
2	46	9	14	26	1	28	14	16	10
2	50	9	15	26	2	28	53	17	11
2	54	7	16	27	3	29	32	18	12
2	58	8	17	28	4	0♍	11	18	13
3	2	8	18	29	4	0	50	19	14
3	6	10	19	♋	5	1	29	20	15
3	10	12	20	1	6	2	9	21	16
3	14	16	21	2	7	2	49	21	17
3	18	19	22	3	7	3	28	22	17
3	22	24	23	4	8	4	8	23	18
3	26	29	24	5	9	4	48	24	19
3	30	35	25	6	10	5	28	24	20
3	34	42	26	7	10	6	9	25	21
3	38	49	27	8	11	6	49	26	22
3	42	57	28	8	12	7	30	27	23
3	47	6	29	9	13	8	10	28	24
3	51	16	30	10	13	8	51	28	25

Sidereal Time H.	M.	S.	10 ♊ °	11 ♋ °	12 ♌ °	Ascen ♍ °	′	2 ♍ °	3 ♎ °
3	51	16	0	10	13	8	51	28	25
3	55	26	1	11	14	9	32	29	26
3	59	37	2	12	15	10	13	♎	27
4	3	48	3	13	16	10	54	1	27
4	8	1	4	14	17	11	36	2	28
4	12	13	5	15	17	12	17	2	29
4	16	27	6	16	18	12	58	3	♏
4	20	41	7	17	19	13	40	4	1
4	24	55	8	18	20	14	22	5	2
4	29	11	9	18	20	15	4	6	3
4	33	26	10	19	21	15	46	6	4
4	37	42	11	20	22	16	28	7	5
4	41	59	12	21	23	17	10	8	6
4	46	17	13	22	24	17	52	9	7
4	50	34	14	23	24	18	34	10	8
4	54	52	15	24	25	19	17	10	9
4	59	11	16	25	26	19	59	11	9
5	3	30	17	26	27	20	42	12	10
5	7	49	18	27	28	21	24	13	11
5	12	9	19	28	28	22	7	14	12
5	16	29	20	28	29	22	50	14	13
5	20	49	21	29	♍	23	33	15	14
5	25	10	22	♌	1	24	16	16	15
5	29	30	23	1	2	24	59	17	16
5	33	51	24	2	2	25	42	18	17
5	38	13	25	3	3	26	25	19	18
5	42	34	26	4	4	27	8	19	19
5	46	55	27	5	5	27	51	20	20
5	51	17	28	6	6	28	34	21	21
5	55	38	29	7	7	29	17	22	21
6	0	0	30	8	7	30	0	23	22

Sidereal Time H.	M.	S.	10 ♋ °	11 ♌ °	12 ♍ °	Ascen ♎ °	′	2 ♎ °	3 ♏ °
6	0	0	0	8	7	0	0	23	22
6	4	22	1	9	8	0	43	23	23
6	8	43	2	9	9	1	26	24	24
6	13	5	3	10	10	2	9	25	25
6	17	26	4	11	11	2	52	26	26
6	21	47	5	12	11	3	35	27	27
6	26	9	6	13	12	4	18	28	28
6	30	30	7	14	13	5	1	28	29
6	34	50	8	15	14	5	44	29	♐
6	39	11	9	16	15	6	27	♏	1
6	43	31	10	17	16	7	10	1	2
6	47	51	11	18	16	7	53	2	2
6	52	11	12	19	17	8	36	3	3
6	56	30	13	20	18	9	18	3	4
7	0	49	14	21	19	10	1	4	5
7	5	8	15	21	20	10	43	5	6
7	9	26	16	22	20	11	26	6	7
7	13	43	17	23	21	12	8	6	8
7	18	1	18	24	22	12	50	7	9
7	22	18	19	25	23	13	32	8	10
7	26	34	20	26	24	14	14	9	11
7	30	49	21	27	24	14	56	10	12
7	35	5	22	28	25	15	38	10	12
7	39	19	23	29	26	16	20	11	13
7	43	33	24	♍	27	17	2	12	14
7	47	47	25	1	28	17	43	13	15
7	51	59	26	2	28	18	24	13	16
7	56	12	27	3	29	19	6	14	17
8	0	23	28	3	♎	19	47	15	18
8	4	34	29	4	1	20	28	16	19
8	8	44	30	5	2	21	9	17	20

Sidereal Time H.	M.	S.	10 ♌ °	11 ♍ °	12 ♎ °	Ascen ♎ °	′	2 ♏ °	3 ♐ °
8	8	44	0	5	2	21	9	17	20
8	12	54	1	6	2	21	50	17	21
8	17	3	2	7	3	22	30	18	22
8	21	11	3	8	4	23	11	19	22
8	25	19	4	9	5	23	51	20	23
8	29	25	5	10	6	24	32	20	24
8	33	31	6	11	6	25	12	21	25
8	37	36	7	12	7	25	52	22	26
8	41	41	8	13	8	26	32	23	27
8	45	44	9	13	9	27	11	23	28
8	49	48	10	14	9	27	51	24	29
8	53	50	11	15	10	28	31	25	♑
8	57	52	12	16	11	29	10	26	1
9	1	52	13	17	12	29	49	26	2
9	5	53	14	18	12	0♏	28	27	3
9	9	51	15	19	13	1	7	28	4
9	13	51	16	20	14	1	46	29	4
9	17	49	17	21	15	2	25	29	5
9	21	46	18	21	15	3	3	♐	6
9	25	43	19	22	16	3	42	1	7
9	29	39	20	23	17	4	20	2	8
9	33	34	21	24	18	4	58	2	9
9	37	29	22	25	18	5	37	3	10
9	41	23	23	26	19	6	15	4	11
9	45	16	24	27	20	6	52	5	12
9	49	8	25	28	21	7	30	5	13
9	53	0	26	28	21	8	8	6	14
9	56	52	27	29	22	8	46	7	15
10	0	42	28	♎	23	9	23	8	16
10	4	32	29	1	24	10	1	8	17
10	8	22	30	2	24	10	38	9	18

Sidereal Time H.	M.	S.	10 ♍ °	11 ♎ °	12 ♎ °	Ascen ♏ °	′	2 ♐ °	3 ♑ °
10	8	22	0	2	24	10	38	9	18
10	12	11	1	3	25	11	15	10	19
10	15	59	2	4	26	11	52	10	20
10	19	47	3	4	26	12	29	11	21
10	23	35	4	5	27	13	6	12	22
10	27	22	5	6	28	13	43	13	23
10	31	8	6	7	28	14	20	13	24
10	34	54	7	8	29	14	57	14	25
10	38	39	8	9	♏	15	34	15	26
10	42	24	9	9	1	16	11	16	27
10	46	9	10	10	1	16	47	16	28
10	49	53	11	11	2	17	23	17	29
10	53	36	12	12	3	18	0	18	♒
10	57	20	13	13	3	18	37	19	1
11	1	3	14	14	4	19	14	20	2
11	4	46	15	14	5	19	50	20	3
11	8	28	16	15	5	20	27	21	4
11	12	10	17	16	6	21	3	22	5
11	15	52	18	17	7	21	40	23	6
11	19	33	19	18	7	22	17	23	7
11	23	15	20	19	8	22	53	24	8
11	26	56	21	19	9	23	30	25	10
11	30	37	22	20	10	24	6	26	11
11	34	18	23	21	10	24	43	27	12
11	37	58	24	22	11	25	20	27	13
11	41	39	25	23	12	25	56	28	14
11	45	19	26	23	12	26	33	29	15
11	48	59	27	24	13	27	10	♑	16
11	52	40	28	25	14	27	47	1	17
11	56	20	29	26	14	28	24	2	19
12	0	0	30	27	15	29	1	3	20

TABLES OF HOUSES FOR DUNDEE, Latitude 56° 28′ N.

Sidereal Time H.	M.	S.	10 ♎ °	11 ♎ °	12 ♏ °	Ascen ♏ °	′	2 ♑ °	3 ♒ °
12	0	0	0	27	15	29	1	3	20
12	3	40	1	27	16	29	38	3	21
12	7	20	2	28	16	0 ♐	15	4	22
12	11	1	3	29	17	0	53	5	23
12	14	41	4	♏	18	1	30	6	24
12	18	21	5	1	18	2	8	7	26
12	22	2	6	1	19	2	46	8	27
12	25	42	7	2	20	3	24	9	28
12	29	23	8	3	20	4	2	10	29
12	33	4	9	4	21	4	40	11	♓
12	36	45	10	5	22	5	18	12	2
12	40	27	11	5	22	5	57	13	3
12	44	8	12	6	23	6	36	14	4
12	47	50	13	7	24	7	15	15	5
12	51	32	14	8	24	7	54	16	6
12	55	14	15	9	25	8	33	17	8
12	58	57	16	9	26	9	13	18	9
13	2	40	17	10	27	9	53	19	10
13	6	24	18	11	27	10	33	20	11
13	10	7	19	12	28	11	14	21	13
13	13	51	20	13	29	11	54	22	14
13	17	36	21	13	29	12	35	23	15
13	21	21	22	14	♐	13	17	24	17
13	25	6	23	15	1	13	59	26	18
13	28	52	24	16	1	14	41	27	19
13	32	38	25	17	2	15	23	28	20
13	36	25	26	17	3	16	6	29	22
13	40	13	27	18	4	16	50	♒	23
13	44	1	28	19	4	17	34	2	24
13	47	49	29	20	5	18	18	3	26
13	51	38	30	21	6	19	3	4	27

Sidereal Time H.	M.	S.	10 ♏ °	11 ♏ °	12 ♐ °	Ascen ♐ °	′	2 ♒ °	3 ♓ °
13	51	38	0	21	6	19	3	4	27
13	55	28	1	21	7	19	48	6	28
13	59	18	2	22	7	20	34	7	♈
14	3	8	3	23	8	21	20	9	1
14	7	0	4	24	9	22	7	10	2
14	10	52	5	25	9	22	55	11	4
14	14	44	6	25	10	23	43	13	5
14	18	37	7	26	11	24	32	14	6
14	22	31	8	27	12	25	21	16	8
14	26	26	9	28	13	26	12	18	9
14	30	21	10	29	13	27	3	19	11
14	34	17	11	♐	14	27	55	21	12
14	38	14	12	0	15	28	48	22	13
14	42	11	13	1	16	29	41	24	15
14	46	9	14	2	16	0 ♑	36	26	16
14	50	9	15	3	17	1	32	27	17
14	54	7	16	4	18	2	29	29	19
14	58	8	17	5	19	3	27	♓	20
15	2	8	18	5	20	4	24	3	21
15	6	10	19	6	21	5	26	5	23
15	10	12	20	7	21	6	28	6	24
15	14	16	21	8	22	7	31	8	26
15	18	19	22	9	23	8	36	10	27
15	22	24	23	10	24	9	42	12	28
15	26	29	24	11	25	10	49	14	♉
15	30	35	25	12	26	11	59	16	1
15	34	42	26	12	27	13	10	18	2
15	38	49	27	13	28	14	24	20	4
15	42	57	28	14	29	15	39	22	5
15	47	6	29	15	♑	16	57	24	6
15	51	16	30	16	0	18	17	26	8

Sidereal Time H.	M.	S.	10 ♐ °	11 ♐ °	12 ♑ °	Ascen ♑ °	′	2 ♓ °	3 ♉ °
15	51	16	0	16	0	18	17	26	8
15	55	26	1	17	1	19	39	28	9
15	59	37	2	18	2	21	4	♈	10
16	3	48	3	19	3	22	32	2	12
16	8	1	4	20	4	24	3	4	13
16	12	13	5	21	5	25	37	6	14
16	16	27	6	21	6	27	15	8	15
16	20	41	7	22	8	28	56	10	17
16	24	55	8	23	9	0 ♒	41	12	18
16	29	11	9	24	10	2	29	14	19
16	33	26	10	25	11	4	22	16	21
16	37	42	11	26	12	6	20	18	22
16	41	59	12	27	13	8	22	20	23
16	46	17	13	28	14	10	29	22	24
16	50	34	14	29	15	12	41	24	26
16	54	52	15	♑	17	14	58	26	27
16	59	11	16	1	18	17	22	28	28
17	3	30	17	2	19	19	50	♉	29
17	7	49	18	3	20	22	25	2	♊
17	12	9	19	4	22	25	5	4	2
17	16	29	20	5	23	27	52	5	3
17	20	49	21	6	24	0 ♓	44	7	4
17	25	10	22	7	26	3	42	9	5
17	29	30	23	8	27	6	45	11	6
17	33	51	24	9	28	9	54	13	7
17	38	13	25	10	♒	13	7	14	9
17	42	34	26	11	1	16	24	16	10
17	46	55	27	12	3	19	45	18	11
17	51	17	28	14	4	23	9	19	12
17	55	38	29	15	6	26	31	21	13
18	0	0	30	16	7	30	0	23	14

Sidereal Time H.	M.	S.	10 ♑ °	11 ♑ °	12 ♒ °	Ascen ♈ °	′	2 ♉ °	3 ♊ °
18	0	0	0	16	7	0	0	23	14
18	4	22	1	17	9	3	26	24	15
18	8	43	2	18	11	6	51	26	16
18	13	5	3	19	12	10	15	27	18
18	17	26	4	20	14	13	36	29	19
18	21	47	5	21	16	16	53	♊	20
18	26	9	6	23	17	20	6	2	21
18	30	30	7	24	19	23	15	3	22
18	34	50	8	25	21	26	18	4	23
18	39	11	9	26	23	29	16	6	24
18	43	31	10	27	25	2 ♉	8	7	25
18	47	51	11	28	26	4	55	8	26
18	52	11	12	♒	28	7	35	10	27
18	56	30	13	1	♓	10	10	11	28
19	0	49	14	2	2	12	38	12	29
19	5	8	15	3	4	15	2	13	♋
19	9	26	16	4	6	17	19	15	1
19	13	43	17	6	8	19	31	16	2
19	18	1	18	7	10	21	38	17	3
19	22	18	19	8	12	23	40	18	4
19	26	34	20	9	14	25	38	19	5
19	30	49	21	11	16	27	31	20	6
19	35	5	22	12	18	29	19	21	7
19	39	19	23	13	20	1 ♊	4	22	8
19	43	33	24	15	22	3	45	24	9
19	47	47	25	16	24	4	23	25	9
19	51	59	26	17	26	5	57	26	10
19	56	12	27	18	28	7	28	27	11
20	0	23	28	20	♈	8	56	28	12
20	4	34	29	21	2	10	21	29	13
20	8	44	30	22	4	11	43	♋	14

Sidereal Time H.	M.	S.	10 ♒ °	11 ♒ °	12 ♈ °	Ascen ♊ °	′	2 ♋ °	3 ♋ °
20	8	44	0	22	4	11	43	0	14
20	12	54	1	24	6	13	3	0	15
20	17	3	2	25	8	14	21	1	16
20	21	11	3	26	10	15	36	2	17
20	25	18	4	28	12	16	50	3	18
20	29	25	5	29	14	18	1	4	18
20	33	31	6	♓	16	19	11	5	19
20	37	36	7	2	18	20	18	6	20
20	41	41	8	3	20	21	24	7	21
20	45	44	9	4	22	22	29	8	22
20	49	48	10	6	24	23	32	9	23
20	53	50	11	7	25	24	34	9	24
20	57	52	12	9	27	25	35	10	25
21	1	52	13	10	29	26	33	11	25
21	5	53	14	11	♉	27	31	12	26
21	9	51	15	13	3	28	28	13	27
21	13	51	16	14	4	29	24	14	28
21	17	49	17	15	6	0 ♋	19	14	29
21	21	46	18	17	8	1	12	15	♌
21	25	43	19	18	9	2	5	16	0
21	29	39	20	19	11	2	57	17	1
21	33	34	21	21	12	3	48	17	2
21	37	29	22	23	14	4	39	18	3
21	41	23	23	24	16	5	28	19	4
21	45	16	24	25	17	6	17	20	5
21	49	8	25	26	19	7	5	21	5
21	53	0	26	28	20	7	53	21	6
21	56	52	27	29	21	8	40	22	7
22	0	42	28	♈	23	9	26	23	8
22	4	32	29	2	24	10	12	23	9
22	8	22	30	3	26	10	57	24	9

Sidereal Time H.	M.	S.	10 ♓ °	11 ♈ °	12 ♉ °	Ascen ♋ °	′	2 ♋ °	3 ♌ °
22	8	22	0	3	26	10	57	24	9
22	12	11	1	4	27	11	42	25	10
22	15	59	2	6	28	12	26	26	11
22	19	47	3	7	29	13	10	26	12
22	23	35	4	8	♊	13	54	27	13
22	27	22	5	10	2	14	37	28	13
22	31	8	6	11	3	15	19	29	14
22	34	54	7	12	4	16	1	29	15
22	38	39	8	13	6	16	43	♌	16
22	42	24	9	15	7	17	25	1	17
22	46	9	10	16	8	18	6	1	17
22	49	53	11	17	9	18	46	2	18
22	53	36	12	19	10	19	27	3	19
22	57	20	13	20	11	20	7	3	20
23	1	3	14	21	12	20	47	4	21
23	4	46	15	22	13	21	27	5	21
23	8	28	16	24	14	22	6	6	22
23	12	10	17	25	15	22	45	6	23
23	15	52	18	26	16	23	24	7	24
23	19	33	19	27	17	24	3	8	25
23	23	15	20	28	18	24	42	8	25
23	26	56	21	♉	19	25	20	9	26
23	30	37	22	1	20	25	58	10	27
23	34	18	23	2	21	26	36	10	28
23	37	58	24	3	22	27	14	11	29
23	41	39	25	4	23	27	52	12	29
23	45	19	26	6	24	28	30	12	♍
23	48	59	27	7	25	29	7	13	1
23	52	40	28	8	26	29	45	14	2
23	56	20	29	9	27	0 ♌	22	14	3
24	0	0	30	10	27	0	59	15	3

TABLES OF HOUSES FOR ABERDEEN, Latitude 57° 9′ N.

Sidereal Time H.	M.	S.	10 ♈ °	11 ♉ °	12 ♊ °	Ascen ♌ °	′	2 ♌ °	3 ♍ °
0	0	0	0	11	28	1	39	16	4
0	3	40	1	12	29	2	15	16	5
0	7	20	2	13	♋	2	52	17	5
0	11	1	3	15	1	3	28	18	6
0	14	41	4	16	1	4	5	18	7
0	18	21	5	17	2	4	41	19	8
0	22	2	6	18	3	5	17	20	9
0	25	42	7	19	4	5	53	20	9
0	29	23	8	20	5	6	29	21	10
0	33	4	9	21	5	7	6	22	11
0	36	45	10	22	6	7	42	22	12
0	40	27	11	23	7	8	18	23	13
0	44	8	12	24	8	8	54	24	13
0	47	50	13	25	9	9	30	24	14
0	51	32	14	26	9	10	6	25	15
0	55	14	15	28	10	10	42	26	16
0	58	57	16	29	11	11	18	27	17
1	2	40	17	♊	12	11	54	27	17
1	6	24	18	1	12	12	31	28	18
1	10	7	19	2	13	13	7	29	19
1	13	51	20	3	14	13	43	29	20
1	17	36	21	4	15	14	19	♍	21
1	21	21	22	5	16	14	55	1	22
1	25	6	23	6	16	15	32	1	22
1	28	52	24	7	17	16	8	2	23
1	32	38	25	8	18	16	45	3	24
1	36	25	26	9	19	17	21	3	25
1	40	13	27	10	19	17	58	4	26
1	44	1	28	11	20	18	34	5	26
1	47	49	29	12	21	19	11	5	27
1	51	38	30	13	22	19	48	6	28

Sidereal Time H.	M.	S.	10 ♉ °	11 ♊ °	12 ♋ °	Ascen ♌ °	′	2 ♍ °	3 ♍ °
1	51	38	0	13	22	19	48	6	28
1	55	28	1	14	22	20	25	7	29
1	59	18	2	14	23	21	2	8	♎
2	3	8	3	15	24	21	39	8	1
2	7	0	4	16	25	22	16	9	2
2	10	52	5	17	25	22	54	10	2
2	14	44	6	18	26	23	31	10	3
2	18	37	7	19	27	24	8	11	4
2	22	31	8	20	27	24	46	12	5
2	26	26	9	21	28	25	24	13	6
2	30	21	10	22	29	26	2	13	7
2	34	17	11	23	30	26	39	14	8
2	38	14	12	24	♌	27	18	15	8
2	42	11	13	25	1	27	56	16	9
2	46	9	14	26	2	28	34	16	10
2	50	9	15	27	3	29	12	17	11
2	54	7	16	28	3	29	51	18	12
2	58	8	17	29	4	0♍	30	19	13
3	2	8	18	30	5	1	9	19	14
3	6	10	19	♋	6	1	47	20	15
3	10	12	20	1	6	2	27	21	15
3	14	16	21	2	7	3	6	22	16
3	18	19	22	3	8	3	45	22	17
3	22	24	23	4	9	4	24	23	18
3	26	29	24	5	9	5	4	24	19
3	30	35	25	6	10	5	44	25	20
3	34	42	26	7	11	6	24	25	21
3	38	49	27	8	12	7	4	26	22
3	42	57	28	9	13	7	44	27	23
3	47	6	29	10	13	8	24	28	23
3	51	16	30	11	14	9	4	28	24

Sidereal Time H.	M.	S.	10 ♊ °	11 ♋ °	12 ♌ °	Ascen ♍ °	′	2 ♍ °	3 ♎ °
3	51	16	0	11	14	9	4	28	24
3	55	26	1	11	15	9	45	29	25
3	59	37	2	12	16	10	25	♎	26
4	3	48	3	13	16	11	6	1	27
4	8	1	4	14	17	11	47	1	28
4	12	13	5	15	18	12	28	2	29
4	16	27	6	16	19	13	9	3	♏
4	20	41	7	17	19	13	50	4	1
4	24	55	8	18	20	14	32	5	2
4	29	11	9	19	21	15	13	5	3
4	33	26	10	20	22	15	55	6	3
4	37	42	11	21	23	16	36	7	4
4	41	59	12	22	23	17	18	8	5
4	46	17	13	22	24	18	0	9	6
4	50	34	14	23	25	18	42	9	7
4	54	52	15	24	26	19	24	10	8
4	59	11	16	25	27	20	6	11	9
5	3	30	17	26	27	20	48	12	10
5	7	49	18	27	28	21	30	13	11
5	12	9	19	28	29	22	12	13	12
5	16	29	20	29	♍	22	55	14	13
5	20	49	21	♌	1	23	37	15	14
5	25	10	22	1	1	24	19	16	14
5	29	30	23	2	2	25	2	17	15
5	33	51	24	3	3	25	44	17	16
5	38	13	25	3	4	26	27	18	17
5	42	34	26	4	5	27	9	19	18
5	46	55	27	5	5	27	52	20	19
5	51	17	28	6	6	28	35	21	20
5	55	38	29	7	7	29	17	21	21
6	0	0	30	8	8	30	0	22	22

Sidereal Time H.	M.	S.	10 ♋ °	11 ♌ °	12 ♍ °	Ascen ♎ °	′	2 ♎ °	3 ♏ °
6	0	0	0	8	8	0	0	22	22
6	4	22	1	9	9	0	43	23	23
6	8	43	2	10	9	1	25	24	24
6	13	5	3	11	10	2	8	25	25
6	17	26	4	12	11	2	51	25	26
6	21	47	5	13	12	3	33	26	27
6	26	9	6	14	13	4	16	27	27
6	30	30	7	15	13	4	58	28	28
6	34	50	8	16	14	5	41	29	29
6	39	11	9	16	15	6	23	29	♐
6	43	31	10	17	16	7	5	♏	1
6	47	51	11	18	17	7	48	1	2
6	52	11	12	19	17	8	30	2	3
6	56	30	13	20	18	9	12	3	4
7	0	49	14	21	19	9	54	3	5
7	5	8	15	22	20	10	36	4	6
7	9	26	16	23	21	11	18	5	7
7	13	43	17	24	21	12	0	6	8
7	18	1	18	25	22	12	42	7	8
7	22	18	19	26	23	13	24	7	9
7	26	34	20	27	24	14	5	8	10
7	30	49	21	27	25	14	47	9	11
7	35	5	22	28	25	15	28	10	12
7	39	19	23	29	26	16	10	11	13
7	43	33	24	♍	27	16	51	11	14
7	47	47	25	1	28	17	32	12	15
7	51	59	26	2	28	18	13	13	16
7	56	12	27	3	29	18	54	14	17
8	0	23	28	4	♎	19	35	14	18
8	4	34	29	5	1	20	15	15	19
8	8	44	30	6	2	20	56	16	19

Sidereal Time H.	M.	S.	10 ♌ °	11 ♍ °	12 ♎ °	Ascen ♎ °	′	2 ♏ °	3 ♐ °
8	8	44	0	6	2	20	56	16	19
8	12	54	1	7	2	21	36	17	20
8	17	3	2	7	3	22	16	17	21
8	21	11	3	8	4	22	56	18	22
8	25	19	4	9	5	23	36	19	23
8	29	25	5	10	5	24	16	20	24
8	33	31	6	11	6	24	56	21	25
8	37	36	7	12	7	25	36	21	26
8	41	41	8	13	8	26	15	22	27
8	45	44	9	14	8	26	54	23	28
8	49	48	10	15	9	27	33	24	29
8	53	50	11	15	10	28	13	24	30
8	57	52	12	16	11	28	52	25	♑
9	1	52	13	17	12	29	30	26	1
9	5	53	14	18	12	0♏	9	27	2
9	9	51	15	19	13	0	48	27	3
9	13	51	16	20	14	1	26	28	4
9	17	49	17	21	15	2	4	29	5
9	21	46	18	22	15	2	42	30	6
9	25	43	19	22	16	3	21	♐	7
9	29	39	20	23	17	3	58	1	8
9	33	34	21	24	17	4	36	2	9
9	37	29	22	25	18	5	14	3	10
9	41	23	23	26	19	5	52	3	11
9	45	16	24	27	20	6	29	4	12
9	49	8	25	28	20	7	6	5	13
9	53	0	26	28	21	7	44	5	14
9	56	52	27	29	22	8	21	6	15
10	0	42	28	♎	22	8	58	7	16
10	4	32	29	1	23	9	35	8	16
10	8	22	30	2	24	10	12	8	17

Sidereal Time H.	M.	S.	10 ♍ °	11 ♎ °	12 ♎ °	Ascen ♏ °	′	2 ♐ °	3 ♑ °
10	8	22	0	2	24	10	12	8	17
10	12	11	1	3	25	10	49	9	18
10	15	59	2	4	25	11	26	10	19
10	19	47	3	4	26	12	2	11	20
10	23	35	4	5	27	12	39	11	21
10	27	22	5	6	27	13	15	12	22
10	31	8	6	7	28	13	52	13	23
10	34	54	7	8	29	14	28	14	24
10	38	39	8	9	29	15	5	14	25
10	42	24	9	9	♏	15	41	15	26
10	46	9	10	10	1	16	17	16	27
10	49	53	11	11	1	16	53	17	28
10	53	36	12	12	2	17	29	18	29
10	57	20	13	13	3	18	6	18	♒
11	1	3	14	13	4	18	42	19	1
11	4	46	15	14	4	19	18	20	2
11	8	28	16	15	5	19	54	21	4
11	12	10	17	16	6	20	30	21	5
11	15	52	18	17	7	21	6	22	6
11	19	33	19	17	7	21	42	23	7
11	23	15	20	18	8	22	18	24	8
11	26	56	21	19	9	22	54	25	9
11	30	37	22	20	9	23	31	25	10
11	34	18	23	21	10	24	7	26	11
11	37	58	24	21	10	24	43	27	12
11	41	39	25	22	11	25	19	28	13
11	45	19	26	23	12	25	55	29	14
11	48	59	27	24	12	26	32	30	15
11	52	40	28	25	13	27	8	♑	17
11	56	20	29	25	14	27	45	1	18
12	0	0	30	26	14	28	21	2	19

TABLES OF HOUSES FOR ABERDEEN, *Latitude* 57° 9′ N.

Sidereal Time H.	M.	S.	10 ♎ °	11 ♎ °	12 ♏ °	Ascen ♏ °	′	2 ♑ °	3 ♒ °
12	0	0	0	26	14	28	21	2	19
12	3	40	1	27	15	28	58	3	20
12	7	20	2	28	16	29	35	4	21
12	11	1	3	29	16	0 ♐	11	5	22
12	14	41	4	29	17	0	48	6	24
12	18	21	5	♏	18	1	25	6	25
12	22	2	6	1	18	2	3	7	26
12	25	42	7	2	19	2	40	8	27
12	29	23	8	3	20	3	17	9	28
12	33	4	9	3	20	3	55	10	♓
12	36	45	10	4	21	4	33	11	1
12	40	27	11	5	22	5	11	12	2
12	44	8	12	6	23	5	49	13	3
12	47	50	13	7	23	6	27	14	5
12	51	32	14	7	24	7	6	15	6
12	55	14	15	8	25	7	45	16	7
12	58	57	16	9	25	8	24	17	8
13	2	40	17	10	26	9	3	18	10
13	6	24	18	10	27	9	43	19	11
13	10	7	19	11	27	10	23	20	12
13	13	51	20	12	28	11	3	21	14
13	17	36	21	13	29	11	42	22	15
13	21	21	22	14	29	12	24	23	16
13	25	6	23	14	♐	13	5	25	18
13	28	52	24	15	1	13	46	26	19
13	32	38	25	16	2	14	28	27	20
13	36	25	26	17	2	15	10	28	22
13	40	13	27	18	3	15	53	♒	23
13	44	1	28	18	4	16	36	1	24
13	47	49	29	19	4	17	19	2	26
13	51	38	30	20	5	18	4	3	27

Sidereal Time H.	M.	S.	10 ♏ °	11 ♏ °	12 ♐ °	Ascen ♐ °	′	2 ♒ °	3 ♓ °
13	51	38	0	20	5	18	4	3	27
13	55	28	1	21	6	18	48	5	28
13	59	18	2	22	7	19	33	6	♈
14	3	8	3	23	7	20	18	7	1
14	7	0	4	23	8	21	4	9	3
14	10	52	5	24	9	21	51	10	4
14	14	44	6	25	10	22	38	12	5
14	18	37	7	26	10	23	26	13	7
14	22	31	8	27	11	24	15	15	8
14	26	26	9	27	12	25	4	16	9
14	30	21	10	28	13	25	54	18	11
14	34	17	11	29	14	26	45	19	12
14	38	14	12	♐	14	27	37	21	14
14	42	11	13	1	15	28	30	23	15
14	46	9	14	2	16	29	23	24	16
14	50	9	15	3	17	0 ♑	18	26	18
14	54	7	16	3	18	1	13	28	19
14	58	8	17	4	18	2	10	♓	21
15	2	8	18	5	19	3	8	2	22
15	6	10	19	6	20	4	7	3	23
15	10	12	20	7	21	5	8	5	24
15	14	16	21	8	22	6	10	7	26
15	18	19	22	9	23	7	13	9	28
15	22	24	23	9	24	8	18	11	29
15	26	29	24	10	24	9	24	13	♉
15	30	35	25	11	25	10	32	15	2
15	34	42	26	12	26	11	43	17	3
15	38	49	27	13	27	12	55	19	4
15	42	57	28	14	28	14	9	21	6
15	47	6	29	15	29	15	25	23	7
15	51	16	30	16	30	16	44	26	8

Sidereal Time H.	M.	S.	10 ♐ °	11 ♐ °	12 ♑ °	Ascen ♑ °	′	2 ♓ °	3 ♉ °
15	51	16	0	16	0	16	44	26	8
15	55	26	1	17	1	18	5	28	10
15	59	37	2	17	2	19	29	♈	11
16	3	48	3	18	3	20	55	2	13
16	8	1	4	19	4	22	26	4	14
16	12	13	5	20	5	23	58	6	15
16	16	27	6	21	6	25	35	8	16
16	20	41	7	22	7	27	15	10	18
16	24	55	8	23	8	28	59	13	19
16	29	11	9	24	9	0 ♒	47	15	20
16	33	26	10	25	10	2	40	17	21
16	37	42	11	26	11	4	37	19	23
16	41	59	12	27	12	6	39	21	24
16	46	17	13	28	14	8	47	23	25
16	50	34	14	29	15	11	0	25	26
16	54	52	15	♑	16	13	18	27	27
16	59	11	16	1	17	15	43	29	29
17	3	30	17	2	18	18	14	♉	♊
17	7	49	18	3	20	20	52	3	1
17	12	9	19	4	21	23	36	5	2
17	16	29	20	5	22	26	27	7	3
17	20	49	21	6	23	29	24	9	5
17	25	10	22	7	25	2 ♓	28	10	6
17	29	30	23	8	26	5	38	12	7
17	33	51	24	9	27	8	54	14	8
17	38	13	25	10	29	12	16	16	9
17	42	34	26	11	♒	15	43	17	10
17	46	55	27	12	2	19	13	19	11
17	51	17	28	13	3	22	47	21	12
17	55	38	29	14	5	26	23	22	14
18	0	0	30	15	6	30	0	24	15

Sidereal Time H.	M.	S.	10 ♑ °	11 ♑ °	12 ♒ °	Ascen ♈ °	′	2 ♉ °	3 ♊ °
18	0	0	0	15	6	0	0	24	15
18	4	22	1	16	8	3	37	25	16
18	8	43	2	17	9	7	13	27	17
18	13	5	3	19	11	10	47	28	18
18	17	26	4	20	13	14	17	♊	19
18	21	47	5	21	14	17	44	1	20
18	26	9	6	22	16	21	6	3	21
18	30	30	7	23	18	24	22	4	22
18	34	50	8	24	20	27	32	5	23
18	39	11	9	25	21	0 ♉	36	7	24
18	43	31	10	27	23	3	33	8	25
18	47	51	11	28	25	6	24	9	26
18	52	11	12	29	27	9	8	10	27
18	56	30	13	♒	29	11	46	12	28
19	0	49	14	1	♓	14	17	13	29
19	5	8	15	3	3	16	42	14	♋
19	9	26	16	4	5	19	0	15	1
19	13	43	17	5	7	21	13	16	2
19	18	1	18	6	9	23	21	18	3
19	22	18	19	7	11	25	23	19	4
19	26	34	20	9	13	27	20	20	5
19	30	49	21	10	15	29	13	21	6
19	35	5	22	11	17	1 ♊	1	22	7
19	39	19	23	12	19	2	45	23	8
19	43	33	24	14	22	4	25	24	9
19	47	47	25	15	24	6	2	25	10
19	51	59	26	16	26	7	34	26	11
19	56	12	27	18	28	9	5	27	12
20	0	23	28	19	♈	10	31	28	13
20	4	34	29	20	2	11	55	29	13
20	8	44	30	22	4	13	16	30	14

Sidereal Time H.	M.	S.	10 ♒ °	11 ♒ °	12 ♈ °	Ascen ♊ °	′	2 ♋ °	3 ♋ °
20	8	44	0	22	4	13	16	0	14
20	12	54	1	23	7	14	35	1	15
20	17	3	2	24	9	15	51	2	16
20	21	11	3	26	11	17	5	3	17
20	25	18	4	27	13	18	17	4	18
20	29	25	5	28	15	19	28	5	19
20	33	31	6	♓	17	20	36	6	20
20	37	36	7	1	19	21	42	6	21
20	41	41	8	2	21	22	47	7	21
20	45	44	9	4	23	23	50	8	22
20	49	48	10	5	25	24	52	9	23
20	53	50	11	7	27	25	53	10	24
20	57	52	12	8	28	26	52	11	25
21	1	52	13	9	♉	27	50	12	26
21	5	53	14	11	2	28	47	12	27
21	9	51	15	12	4	29	42	13	27
21	13	51	16	14	6	0 ♋	37	14	28
21	17	49	17	15	7	1	30	15	29
21	21	46	18	16	9	2	23	16	♌
21	25	43	19	18	11	3	15	16	1
21	29	39	20	19	12	4	6	17	2
21	33	34	21	21	14	4	56	18	3
21	37	29	22	22	15	5	45	19	3
21	41	23	23	23	17	6	34	20	4
21	45	16	24	25	18	7	22	20	5
21	49	8	25	26	20	8	9	21	6
21	53	0	26	27	21	8	56	22	7
21	56	52	27	29	23	9	42	23	7
22	0	42	28	♈	24	10	27	23	8
22	4	32	29	2	25	11	12	24	9
22	8	22	30	3	27	11	57	25	10

Sidereal Time H.	M.	S.	10 ♓ °	11 ♈ °	12 ♉ °	Ascen ♋ °	′	2 ♋ °	3 ♌ °
22	8	22	0	3	27	11	57	25	10
22	12	11	1	4	28	12	41	26	11
22	15	59	2	6	29	13	24	26	12
22	19	47	3	7	♊	14	7	27	12
22	23	35	4	8	2	14	50	28	13
22	27	22	5	10	3	15	32	28	14
22	31	8	6	11	4	16	14	29	15
22	34	54	7	12	5	16	55	♌	16
22	38	39	8	14	6	17	36	1	16
22	42	24	9	15	8	18	17	1	17
22	46	9	10	16	9	18	57	2	18
22	49	53	11	18	10	19	37	3	19
22	53	36	12	19	11	20	17	4	20
22	57	20	13	20	12	20	57	4	20
23	1	3	14	22	13	21	36	5	21
23	4	46	15	23	14	22	15	6	22
23	8	28	16	24	15	22	54	6	23
23	12	10	17	25	16	23	33	7	23
23	15	52	18	27	17	24	11	8	24
23	19	33	19	28	18	24	49	8	25
23	23	15	20	29	19	25	27	9	26
23	26	56	21	♉	20	26	5	10	27
23	30	37	22	2	21	26	43	10	27
23	34	18	23	3	22	27	20	11	28
23	37	58	24	4	23	27	57	12	29
23	41	39	25	5	24	28	35	12	♍
23	45	19	26	6	24	29	12	13	1
23	48	59	27	8	25	0 ♌	11	14	1
23	52	40	28	9	26	0	25	14	2
23	56	20	29	10	27	1	2	15	3
24	0	0	30	11	28	1	39	16	4

TABLES OF HOUSES FOR INVERNESS, *Latitude* 57° 29′ N.

Sidereal Time. H.	M.	S.	10 ♈ °	11 ♉ °	12 ♊ °	Ascen ♌ °	′	2 ♌ °	3 ♍ °
0	0	0	0	11	28	1	58	16	4
0	3	40	1	12	29	2	35	16	5
0	7	20	2	13	♋	3	11	17	5
0	11	1	3	15	1	3	47	18	6
0	14	41	4	16	1	4	23	18	7
0	18	21	5	17	2	4	59	19	8
0	22	2	6	18	3	5	35	20	9
0	25	42	7	19	4	6	11	20	9
0	29	23	8	20	5	6	47	21	10
0	33	4	9	21	5	7	23	22	11
0	36	45	10	22	6	7	59	22	12
0	40	27	11	23	7	8	35	23	13
0	44	8	12	24	8	9	11	24	13
0	47	50	13	25	9	9	47	24	14
0	51	32	14	26	9	10	22	25	15
0	55	14	15	28	10	10	58	26	16
0	58	57	16	29	11	11	34	27	17
1	2	40	17	♊	12	12	10	27	17
1	6	24	18	1	12	12	46	28	18
1	10	7	19	2	13	13	22	29	19
1	13	51	20	3	14	13	58	29	20
1	17	36	21	4	15	14	34	♍	21
1	21	21	22	5	16	15	10	1	22
1	25	6	23	6	16	15	46	1	22
1	28	52	24	7	17	16	22	2	23
1	32	38	25	8	18	16	59	3	24
1	36	25	26	9	19	17	35	3	25
1	40	13	27	10	19	18	11	4	26
1	44	1	28	11	20	18	48	5	26
1	47	49	29	12	21	19	24	5	27
1	51	38	30	13	22	20	1	6	28

Sidereal Time. H.	M.	S.	10 ♉ °	11 ♊ °	12 ♋ °	Ascen ♌ °	′	2 ♍ °	3 ♍ °
1	51	38	0	13	22	20	1	6	28
1	55	28	1	14	22	20	38	7	29
1	59	18	2	14	23	21	14	8	♎
2	3	8	3	15	24	21	51	8	1
2	7	0	4	16	25	22	28	9	2
2	10	52	5	17	25	23	5	10	2
2	14	44	6	18	26	23	42	10	3
2	18	37	7	19	27	24	20	11	4
2	22	31	8	20	27	24	57	12	5
2	26	26	9	21	28	25	35	13	6
2	30	21	10	22	29	26	12	13	7
2	34	17	11	23	30	26	50	14	8
2	38	14	12	24	♌	27	28	15	8
2	42	11	13	25	1	28	6	16	9
2	46	9	14	26	2	28	44	16	10
2	50	9	15	27	3	29	22	17	11
2	54	7	16	28	3	0♍	0	18	12
2	58	8	17	29	4	0	39	19	13
3	2	8	18	30	5	1	18	19	14
3	6	10	19	♋	6	1	56	20	15
3	10	12	20	1	6	2	35	21	15
3	14	16	21	2	7	3	14	22	16
3	18	19	22	3	8	3	53	22	17
3	22	24	23	4	9	4	32	23	18
3	26	29	24	5	9	5	12	24	19
3	30	35	25	6	10	5	51	25	20
3	34	42	26	7	11	6	31	25	21
3	38	49	27	8	12	7	11	26	22
3	42	57	28	9	13	7	51	27	23
3	47	6	29	10	13	8	31	28	23
3	51	16	30	11	14	9	11	28	24

Sidereal Time. H.	M.	S.	10 ♊ °	11 ♋ °	12 ♌ °	Ascen ♍ °	′	2 ♍ °	3 ♎ °
3	51	16	0	11	14	9	11	28	24
3	55	26	1	11	15	9	51	29	25
3	59	37	2	12	16	10	32	♎	26
4	3	48	3	13	16	11	12	1	27
4	8	1	4	14	17	11	53	1	28
4	12	13	5	15	18	12	33	2	29
4	16	27	6	16	19	13	14	3	♏
4	20	41	7	17	19	13	55	4	1
4	24	55	8	18	20	14	36	5	2
4	29	11	9	19	21	15	18	5	3
4	33	26	10	20	22	15	59	6	3
4	37	42	11	21	23	16	40	7	4
4	41	59	12	22	23	17	22	8	5
4	46	17	13	22	24	18	3	9	6
4	50	34	14	23	25	18	45	9	7
4	54	52	15	24	26	19	27	10	8
4	59	11	16	25	27	20	9	11	9
5	3	30	17	26	27	20	51	12	10
5	7	49	18	27	28	21	33	13	11
5	12	9	19	28	29	22	15	13	12
5	16	29	20	29	♍	22	57	14	13
5	20	49	21	♌	1	23	39	15	14
5	25	10	22	1	1	24	21	16	14
5	29	30	23	2	2	25	3	17	15
5	33	51	24	3	3	25	46	17	16
5	38	13	25	3	4	26	28	18	17
5	42	34	26	4	5	27	10	19	18
5	46	55	27	5	5	27	53	20	19
5	51	17	28	6	6	28	35	21	20
5	55	38	29	7	7	29	18	21	21
6	0	0	30	8	8	30	0	22	22

Sidereal Time. H.	M.	S.	10 ♋ °	11 ♌ °	12 ♍ °	Ascen ♎ °	′	2 ♎ °	3 ♏ °
6	0	0	0	8	8	0	0	22	22
6	4	22	1	9	9	0	42	23	23
6	8	43	2	10	9	1	25	24	24
6	13	5	3	11	10	2	7	25	25
6	17	26	4	12	11	2	50	25	26
6	21	47	5	13	12	3	32	26	27
6	26	9	6	14	13	4	14	27	27
6	30	30	7	15	13	4	57	28	28
6	34	50	8	16	14	5	39	29	29
6	39	11	9	16	15	6	21	29	♐
6	43	31	10	17	16	7	3	♏	1
6	47	51	11	18	17	7	45	1	2
6	52	11	12	19	17	8	27	2	3
6	56	30	13	20	18	9	9	3	4
7	0	49	14	21	19	9	51	3	5
7	5	8	15	22	20	10	33	4	6
7	9	26	16	23	21	11	15	5	7
7	13	43	17	24	21	11	57	6	8
7	18	1	18	25	22	12	38	7	8
7	22	18	19	26	23	13	20	7	9
7	26	34	20	27	24	14	1	8	10
7	30	49	21	27	25	14	42	9	11
7	35	5	22	28	25	15	24	10	12
7	39	19	23	29	26	16	5	11	13
7	43	33	24	♍	27	16	46	11	14
7	47	47	25	1	28	17	27	12	15
7	51	59	26	2	28	18	7	13	16
7	56	12	27	3	29	18	48	14	17
8	0	23	28	4	♎	19	28	14	18
8	4	34	29	5	1	20	9	15	19
8	8	44	30	6	2	20	49	16	19

Sidereal Time. H.	M.	S.	10 ♌ °	11 ♍ °	12 ♎ °	Ascen ♎ °	′	2 ♏ °	3 ♐ °
8	8	44	0	6	2	20	49	16	19
8	12	54	1	7	2	21	29	17	20
8	17	3	2	7	3	22	9	17	21
8	21	11	3	8	4	22	49	18	22
8	25	19	4	9	5	23	29	19	23
8	29	25	5	10	5	24	9	20	24
8	33	31	6	11	6	24	48	21	25
8	37	36	7	12	7	25	28	21	26
8	41	41	8	13	8	26	7	22	27
8	45	44	9	14	8	26	46	23	28
8	49	48	10	15	9	27	25	24	29
8	53	50	11	15	10	28	4	24	30
8	57	52	12	16	11	28	42	25	♑
9	1	52	13	17	12	29	21	26	1
9	5	53	14	18	12	0♏	0	27	2
9	9	51	15	19	13	0	38	27	3
9	13	51	16	20	14	1	16	28	4
9	17	49	17	21	15	1	54	29	5
9	21	46	18	22	15	2	32	30	6
9	25	43	19	22	16	3	10	♐	7
9	29	39	20	23	17	3	48	1	8
9	33	34	21	24	17	4	25	2	9
9	37	29	22	25	18	5	3	3	10
9	41	23	23	26	19	5	40	3	11
9	45	16	24	27	20	6	18	4	12
9	49	8	25	28	20	6	55	5	13
9	53	0	26	28	21	7	32	5	14
9	56	52	27	29	22	8	9	6	15
10	0	42	28	♎	22	8	46	7	16
10	4	32	29	1	23	9	22	8	16
10	8	22	30	2	24	9	59	8	17

Sidereal Time. H.	M.	S.	10 ♍ °	11 ♎ °	12 ♎ °	Ascen ♏ °	′	2 ♐ °	3 ♑ °
10	8	22	0	2	24	9	59	8	17
10	12	11	1	3	25	10	36	9	18
10	15	59	2	4	25	11	12	10	19
10	19	47	3	4	26	11	49	11	20
10	23	35	4	5	27	12	25	11	21
10	27	22	5	6	27	13	1	12	22
10	31	8	6	7	28	13	38	13	23
10	34	54	7	8	29	14	14	14	24
10	38	39	8	9	29	14	50	14	25
10	42	24	9	9	♏	15	26	15	26
10	46	9	10	10	1	16	2	16	27
10	49	53	11	11	1	16	38	17	28
10	53	36	12	12	2	17	14	18	29
10	57	20	13	13	3	17	50	18	♒
11	1	3	14	13	4	18	26	19	1
11	4	46	15	14	4	19	2	20	2
11	8	28	16	15	5	19	38	21	4
11	12	10	17	16	6	20	13	21	5
11	15	52	18	17	7	20	49	22	6
11	19	33	19	17	7	21	25	23	7
11	23	15	20	18	8	22	1	24	8
11	26	56	21	19	9	22	37	25	9
11	30	37	22	20	9	23	13	25	10
11	34	18	23	21	10	23	49	26	11
11	37	58	24	21	10	24	25	27	12
11	41	39	25	22	11	25	1	28	13
11	45	19	26	23	12	25	37	29	14
11	48	59	27	24	12	26	13	30	15
11	52	40	28	25	13	26	49	♑	17
11	56	20	29	25	14	27	25	1	18
12	0	0	30	26	14	28	2	2	19

TABLES OF HOUSES FOR INVERNESS, *Latitude* 57° 29′ N.

Sidereal Time. H.	M.	S.	10 ♎ °	11 ♎ °	12 ♏ °	Ascen ♏ °	′	2 ♑ °	3 ♒ °
12	0	0	0	26	14	28	2	2	19
12	3	40	1	27	15	28	38	3	20
12	7	20	2	28	16	29	14	4	21
12	11	1	3	29	16	29	51	5	22
12	14	41	4	29	17	0 ♐	28	6	24
12	18	21	5	♏	18	1	4	6	25
12	22	2	6	1	18	1	41	7	26
12	25	42	7	2	19	2	18	8	27
12	29	23	8	3	20	2	56	9	28
12	33	4	9	3	20	3	33	10	♓
12	36	45	10	4	21	4	11	11	1
12	40	27	11	5	22	4	48	12	2
12	44	8	12	6	23	5	26	13	3
12	47	50	13	7	23	6	4	14	5
12	51	32	14	7	24	6	42	15	6
12	55	14	15	8	25	7	21	16	7
12	58	57	16	9	25	8	0	17	8
13	2	40	17	10	26	8	39	18	10
13	6	24	18	10	27	9	18	19	11
13	10	7	19	11	27	9	57	20	12
13	13	51	20	12	28	10	37	21	14
13	17	36	21	13	29	11	17	22	15
13	21	21	22	14	29	11	57	23	16
13	25	6	23	14	♐	12	38	25	18
13	28	52	24	15	1	13	19	26	19
13	32	38	25	16	2	14	1	27	20
13	36	25	26	17	2	14	43	28	22
13	40	13	27	18	3	15	25	♒	23
13	44	1	28	18	4	16	7	1	24
13	47	49	29	19	4	16	50	2	26
13	51	38	30	20	5	17	34	3	27

Sidereal Time. H.	M.	S.	10 ♏ °	11 ♏ °	12 ♐ °	Ascen ♐ °	′	2 ♒ °	3 ♓ °
13	51	38	0	20	5	17	34	3	27
13	55	28	1	21	6	18	18	5	28
13	59	18	2	22	7	19	2	6	♈
14	3	8	3	23	7	19	47	7	1
14	7	0	4	23	8	20	33	9	3
14	10	52	5	24	9	21	19	10	4
14	14	44	6	25	10	22	6	12	5
14	18	37	7	26	10	22	54	13	7
14	22	31	8	27	11	23	42	15	8
14	26	26	9	27	12	24	30	16	9
14	30	21	10	28	13	25	20	18	11
14	34	17	11	29	14	26	11	19	12
14	38	14	12	♐	14	27	2	21	14
14	42	11	13	1	15	27	54	23	15
14	46	9	14	2	16	28	48	24	16
14	50	9	15	3	17	29	41	26	18
14	54	7	16	3	18	0 ♑	36	28	19
14	58	8	17	4	18	1	32	♓	21
15	2	8	18	5	19	2	30	2	22
15	6	10	19	6	20	3	28	3	23
15	10	12	20	7	21	4	28	5	24
15	14	16	21	8	22	5	29	7	26
15	18	19	22	9	23	6	32	9	28
15	22	24	23	9	24	7	36	11	29
15	26	29	24	10	24	8	42	13	♉
15	30	35	25	11	25	9	49	15	2
15	34	42	26	12	26	10	58	17	3
15	38	49	27	13	27	12	10	19	4
15	42	57	28	14	28	13	23	21	6
15	47	6	29	15	29	14	39	23	7
15	51	16	30	16	30	15	57	26	8

Sidereal Time. H.	M.	S.	10 ♐ °	11 ♐ °	12 ♑ °	Ascen ♑ °	′	2 ♓ °	3 ♉ °
15	51	16	0	16	0	15	57	26	8
15	55	26	1	17	1	17	17	28	10
15	59	37	2	17	2	18	40	♈	11
16	3	48	3	18	3	20	6	2	13
16	8	1	4	19	4	21	36	4	14
16	12	13	5	20	5	23	8	6	15
16	16	27	6	21	6	24	44	8	16
16	20	41	7	22	7	26	23	10	18
16	24	55	8	23	8	28	7	13	19
16	29	11	9	24	9	29	55	15	20
16	33	26	10	25	10	1 ♒	47	17	21
16	37	42	11	26	11	3	44	19	23
16	41	59	12	27	12	5	46	21	24
16	46	17	13	28	14	7	54	23	25
16	50	34	14	29	15	10	7	25	26
16	54	52	15	♑	16	12	26	27	27
16	59	11	16	1	17	14	52	29	29
17	3	30	17	2	18	17	24	♉	♊
17	7	49	18	3	20	20	3	3	1
17	12	9	19	4	21	22	48	5	2
17	16	29	20	5	22	25	42	7	3
17	20	49	21	6	23	28	42	9	5
17	25	10	22	7	25	1 ♓	49	10	6
17	29	30	23	8	26	5	3	12	7
17	33	51	24	9	27	8	23	14	8
17	38	13	25	10	29	11	49	16	9
17	42	34	26	11	♒	15	20	17	10
17	46	55	27	12	2	18	56	19	11
17	51	17	28	13	3	22	35	21	12
17	55	38	29	14	5	26	17	22	14
18	0	0	30	15	6	30	0	24	15

Sidereal Time. H.	M.	S.	10 ♑ °	11 ♑ °	12 ♒ °	Ascen ♈ °	′	2 ♉ °	3 ♊ °
18	0	0	0	15	6	0	0	24	15
18	4	22	1	16	8	3	43	25	16
18	8	43	2	17	9	7	25	27	17
18	13	5	3	19	11	11	4	28	18
18	17	26	4	20	13	14	40	♊	19
18	21	47	5	21	14	18	11	1	20
18	26	9	6	22	16	21	37	3	21
18	30	30	7	23	18	24	57	4	22
18	34	50	8	24	20	28	11	5	23
18	39	11	9	25	21	1 ♉	18	7	24
18	43	31	10	27	23	4	18	8	25
18	47	51	11	28	25	7	12	9	26
18	52	11	12	29	27	9	57	10	27
18	56	30	13	♒	29	12	36	12	28
19	0	49	14	1	♓	15	8	13	29
19	5	8	15	3	3	17	34	14	♋
19	9	26	16	4	5	19	53	15	1
19	13	43	17	5	7	22	6	16	2
19	18	1	18	6	9	24	14	18	3
19	22	18	19	7	11	26	16	19	4
19	26	34	20	9	13	28	13	20	5
19	30	49	21	10	15	0 ♊	5	21	6
19	35	5	22	11	17	1	53	22	7
19	39	19	23	12	19	3	37	23	8
19	43	33	24	14	22	5	16	24	9
19	47	47	25	15	24	6	52	25	10
19	51	59	26	16	26	8	24	26	11
19	56	12	27	18	28	9	54	27	12
20	0	23	28	19	♈	11	20	28	13
20	4	34	29	20	2	12	43	29	13
20	8	44	30	22	4	14	3	30	14

Sidereal Time. H.	M.	S.	10 ♒ °	11 ♒ °	12 ♈ °	Ascen ♊ °	′	2 ♋ °	3 ♋ °
20	8	44	0	22	4	14	3	0	14
20	12	54	1	23	7	15	21	1	15
20	17	3	2	24	9	16	37	2	16
20	21	11	3	26	11	17	50	3	17
20	25	18	4	27	13	19	2	4	18
20	29	25	5	28	15	20	11	5	19
20	33	31	6	♓	17	21	18	6	20
20	37	36	7	1	19	22	24	6	21
20	41	41	8	2	21	23	28	7	21
20	45	44	9	4	23	24	31	8	22
20	49	48	10	5	25	25	32	9	23
20	53	50	11	7	27	26	32	10	24
20	57	52	12	8	28	27	30	11	25
21	1	52	13	9	♉	28	28	12	26
21	5	53	14	11	2	29	24	12	27
21	9	51	15	12	4	0 ♋	19	13	27
21	13	51	16	14	6	1	12	14	28
21	17	40	17	15	7	2	6	15	29
21	21	46	18	16	9	2	58	16	♌
21	25	43	19	18	11	3	49	16	1
21	29	39	20	19	12	4	40	17	2
21	33	34	21	21	14	5	30	18	3
21	37	29	22	22	15	6	18	19	3
21	41	23	23	23	17	7	6	20	4
21	45	16	24	25	18	7	54	20	5
21	49	8	25	26	20	8	41	21	6
21	53	0	26	27	21	9	27	22	7
21	56	52	27	29	23	10	13	23	7
22	0	42	28	♈	24	10	58	23	8
22	4	32	29	2	25	11	42	24	9
22	8	22	30	3	27	12	26	25	10

Sidereal Time. H.	M.	S.	10 ♓ °	11 ♈ °	12 ♉ °	Ascen ♋ °	′	2 ♋ °	3 ♌ °
22	8	22	0	3	27	12	26	25	10
22	12	11	1	4	28	13	10	26	11
22	15	59	2	6	29	13	53	26	12
22	19	47	3	7	♊	14	35	27	12
22	23	35	4	8	2	15	17	28	13
22	27	22	5	10	3	15	59	28	14
22	31	8	6	11	4	16	41	29	15
22	34	54	7	12	5	17	22	♌	16
22	38	39	8	14	6	18	3	1	16
22	42	24	9	15	8	18	43	1	17
22	46	9	10	16	9	19	23	2	18
22	49	53	11	18	10	20	3	3	19
22	53	36	12	19	11	20	42	4	20
22	57	20	13	20	12	21	21	4	20
23	1	3	14	22	13	22	0	5	21
23	4	46	15	23	14	22	39	6	22
23	8	28	16	24	15	23	18	6	23
23	12	10	17	25	16	23	56	7	23
23	15	52	18	27	17	24	34	8	24
23	19	33	19	28	18	25	12	8	25
23	23	15	20	29	19	25	49	9	26
23	26	56	21	♉	20	26	27	10	27
23	30	37	22	2	21	27	4	10	27
23	34	18	23	3	22	27	42	11	28
23	37	58	24	4	23	28	19	12	29
23	41	39	25	5	24	28	56	12	♍
23	45	19	26	6	24	29	32	13	1
23	48	59	27	8	25	0 ♌	9	14	1
23	52	40	28	9	26	0	46	14	2
23	56	20	29	10	27	1	22	15	3
24	0	0	30	11	28	1	58	16	4

TABLES OF HOUSES FOR WICK, Latitude 58° 27′ N.

Sidereal Time H.	M.	S.	10 ♈ °	11 ♉ °	12 ♋ °	Ascen ♌ °	′	2 ♌ °	3 ♍ °
0	0	0	0	12	0	2	57	17	4
0	3	40	1	13	1	3	33	17	5
0	7	20	2	14	2	4	8	18	6
0	11	1	3	15	3	4	43	19	7
0	14	41	4	17	3	5	19	19	7
0	18	21	5	18	4	5	54	20	8
0	22	2	6	19	5	6	29	21	9
0	25	42	7	20	6	7	5	21	10
0	29	23	8	21	7	7	40	22	10
0	33	4	9	22	7	8	15	23	11
0	36	45	10	23	8	8	50	23	12
0	40	27	11	24	9	9	25	24	13
0	44	8	12	26	10	10	0	25	14
0	47	50	13	27	10	10	36	25	14
0	51	32	14	28	11	11	11	26	15
0	55	14	15	29	12	11	46	27	16
0	58	57	16	♊	13	12	21	27	17
1	2	40	17	1	13	12	56	28	18
1	6	24	18	2	14	13	32	29	18
1	10	7	19	3	15	14	7	29	19
1	13	51	20	4	16	14	42	♍	20
1	17	36	21	5	16	15	18	1	21
1	21	21	22	6	17	15	53	1	22
1	25	6	23	7	18	16	28	2	22
1	28	52	24	8	19	17	4	3	23
1	32	38	25	9	19	17	40	3	24
1	36	25	26	10	20	18	15	4	25
1	40	13	27	11	21	18	51	5	26
1	44	1	28	12	22	19	27	5	27
1	47	49	29	13	22	20	3	6	27
1	51	38	30	14	23	20	39	7	28

Sidereal Time H.	M.	S.	10 ♉ °	11 ♊ °	12 ♋ °	Ascen ♌ °	′	2 ♍ °	3 ♍ °
1	51	38	0	14	23	20	39	7	28
1	55	28	1	15	24	21	15	7	29
1	59	18	2	16	25	21	51	8	♎
2	3	8	3	17	25	22	27	9	1
2	7	0	4	18	26	23	4	9	2
2	10	52	5	19	27	23	40	10	2
2	14	44	6	19	27	24	17	11	3
2	18	37	7	20	28	24	53	12	4
2	22	31	8	21	29	25	30	12	5
2	26	26	9	22	30	26	7	13	6
2	30	21	10	23	♌	26	44	14	7
2	34	17	11	24	1	27	21	14	7
2	38	14	12	25	2	27	58	15	8
2	42	11	13	26	3	28	36	16	9
2	46	9	14	27	3	29	13	16	10
2	50	9	15	28	4	29	51	17	11
2	54	7	16	29	5	0♍	28	18	12
2	58	8	17	♋	5	1	6	19	13
3	2	8	18	1	6	1	44	19	13
3	6	10	19	2	7	2	22	20	14
3	10	12	20	2	8	3	1	21	15
3	14	16	21	3	8	3	39	22	16
3	18	19	22	4	9	4	17	22	17
3	22	24	23	5	10	4	56	23	18
3	26	29	24	6	11	5	35	24	19
3	30	35	25	7	11	6	14	25	19
3	34	42	26	8	12	6	53	25	20
3	38	49	27	9	13	7	32	26	21
3	42	57	28	10	14	8	11	27	22
3	47	6	29	11	14	8	50	28	23
3	51	16	30	12	15	9	30	28	24

Sidereal Time H.	M.	S.	10 ♊ °	11 ♋ °	12 ♌ °	Ascen ♍ °	′	2 ♍ °	3 ♎ °
3	51	16	0	12	15	9	30	28	24
3	55	26	1	12	16	10	10	29	25
3	59	37	2	13	17	10	49	♎	26
4	3	48	3	14	17	11	29	1	27
4	8	1	4	15	18	12	9	1	28
4	12	13	5	16	19	12	49	2	28
4	16	27	6	17	20	13	30	3	29
4	20	41	7	18	20	14	10	4	♏
4	24	55	8	19	21	14	51	5	1
4	29	11	9	20	22	15	31	5	2
4	33	26	10	21	23	16	12	6	3
4	37	42	11	22	24	16	53	7	4
4	41	59	12	22	24	17	33	8	5
4	46	17	13	23	25	18	14	9	6
4	50	34	14	24	26	18	55	9	7
4	54	52	15	25	27	19	36	10	7
4	59	11	16	26	27	20	18	11	8
5	3	30	17	27	28	20	59	12	9
5	7	49	18	28	29	21	40	13	10
5	12	9	19	29	30	22	22	13	11
5	16	29	20	♌	♍	23	3	14	12
5	20	49	21	1	1	23	45	15	13
5	25	10	22	2	2	24	26	16	14
5	29	30	23	2	3	25	8	17	15
5	33	51	24	3	4	25	50	17	16
5	38	13	25	4	4	26	31	18	16
5	42	34	26	5	5	27	13	19	17
5	46	55	27	6	6	27	55	20	18
5	51	17	28	7	7	28	36	20	19
5	55	38	29	8	7	29	18	21	20
6	0	0	30	9	8	30	0	22	21

Sidereal Time H.	M.	S.	10 ♋ °	11 ♌ °	12 ♍ °	Ascen ♎ °	′	2 ♎ °	3 ♏ °
6	0	0	0	9	8	0	0	22	21
6	4	22	1	10	9	0	42	23	22
6	8	43	2	11	10	1	24	23	23
6	13	5	3	12	11	2	5	24	24
6	17	26	4	13	11	2	47	25	25
6	21	47	5	13	12	3	29	26	26
6	26	9	6	14	13	4	10	27	27
6	30	30	7	15	14	4	52	28	28
6	34	50	8	16	15	5	34	28	28
6	39	11	9	17	15	6	15	29	29
6	43	31	10	18	16	6	57	♏	♐
6	47	51	11	19	17	7	38	1	1
6	52	11	12	20	18	8	20	2	2
6	56	30	13	21	18	9	1	2	3
7	0	49	14	22	19	9	42	3	4
7	5	8	15	23	20	10	24	4	5
7	9	26	16	24	21	11	5	5	6
7	13	43	17	24	22	11	46	5	7
7	18	1	18	25	22	12	27	6	8
7	22	18	19	26	23	13	7	7	8
7	26	34	20	27	24	13	48	7	9
7	30	49	21	28	24	14	29	8	10
7	35	5	22	29	25	15	9	9	11
7	39	19	23	♍	26	15	50	10	12
7	43	33	24	1	27	16	30	10	13
7	47	47	25	2	28	17	11	11	14
7	51	59	26	2	29	17	51	12	15
7	56	12	27	3	29	18	31	13	16
8	0	23	28	4	♎	19	11	13	17
8	4	34	29	5	1	19	50	14	18
8	8	44	30	6	2	20	30	15	18

Sidereal Time H.	M.	S.	10 ♌ °	11 ♍ °	12 ♎ °	Ascen ♎ °	′	2 ♏ °	3 ♐ °
8	8	44	0	6	2	20	30	15	18
8	12	54	1	7	2	21	10	16	19
8	17	3	2	8	3	21	49	17	20
8	21	11	3	9	4	22	28	18	21
8	25	19	4	10	5	23	7	18	22
8	29	25	5	10	5	23	46	19	23
8	33	31	6	11	6	24	25	20	24
8	37	36	7	12	7	25	4	21	25
8	41	41	8	13	8	25	43	21	26
8	45	44	9	14	8	26	21	22	27
8	49	48	10	15	9	26	59	23	28
8	53	50	11	16	10	27	38	23	28
8	57	52	12	17	11	28	16	24	29
9	1	52	13	17	11	28	54	25	♑
9	5	53	14	18	12	29	32	25	1
9	9	51	15	19	13	0♏	9	26	2
9	13	51	16	20	14	0	47	27	3
9	17	49	17	21	14	1	24	27	4
9	21	46	18	22	15	2	2	28	5
9	25	43	19	23	16	2	39	29	6
9	29	39	20	23	16	3	16	30	7
9	33	34	21	24	17	3	53	♐	8
9	37	29	22	25	18	4	30	1	9
9	41	23	23	26	19	5	7	2	10
9	45	16	24	27	19	5	43	3	11
9	49	8	25	28	20	6	20	3	12
9	53	0	26	28	21	6	56	4	12
9	56	52	27	29	22	7	33	5	13
10	0	42	28	♎	22	8	9	5	14
10	4	32	29	1	23	8	45	6	15
10	8	22	30	2	24	9	21	7	16

Sidereal Time H.	M.	S.	10 ♍ °	11 ♎ °	12 ♎ °	Ascen ♏ °	′	2 ♐ °	3 ♑ °
10	8	22	0	2	24	9	21	7	16
10	12	11	1	3	24	9	57	8	17
10	15	59	2	3	25	10	33	8	18
10	19	47	3	4	26	11	9	9	19
10	23	35	4	5	26	11	45	10	20
10	27	22	5	6	27	12	20	11	21
10	31	8	6	7	28	12	56	11	22
10	34	54	7	8	28	13	32	12	23
10	38	39	8	8	29	14	7	13	24
10	42	24	9	9	29	14	42	14	25
10	46	9	10	10	♏	15	18	14	26
10	49	53	11	11	1	15	53	15	27
10	53	36	12	12	2	16	28	16	28
10	57	20	13	12	2	17	4	17	29
11	1	3	14	13	3	17	39	17	♒
11	4	46	15	14	3	18	14	18	1
11	8	28	16	15	4	18	49	19	2
11	12	10	17	16	5	19	24	20	4
11	15	52	18	17	5	20	0	20	5
11	19	33	19	17	6	20	35	21	6
11	23	15	20	18	7	21	10	22	7
11	26	56	21	19	7	21	45	23	8
11	30	37	22	20	8	22	20	24	9
11	34	18	23	20	9	22	55	24	10
11	37	58	24	21	9	23	31	25	11
11	41	39	25	22	10	24	6	26	12
11	45	19	26	23	11	24	41	27	13
11	48	59	27	24	11	25	17	27	14
11	52	40	28	24	12	25	52	28	16
11	56	20	29	25	13	26	27	29	17
12	0	0	30	26	13	27	3	30	18

TABLES OF HOUSES FOR WICK, *Latitude* 58° 27′ N.

Sidereal Time H.	M.	S.	10 ♎ °	11 ♎ °	12 ♏ °	Ascen ♏ °	′	2 ♑ °	3 ♒ °
12	0	0	0	26	13	27	3	0	18
12	3	40	1	27	14	27	39	1	19
12	7	20	2	27	15	28	14	2	20
12	11	1	3	28	16	28	50	3	21
12	14	41	4	29	16	29	26	3	23
12	18	21	5	♏	17	0 ♐	2	4	24
12	22	2	6	1	17	0	38	5	25
12	25	42	7	1	18	1	14	6	26
12	29	23	8	2	19	1	51	7	28
12	33	4	9	3	20	2	27	8	29
12	36	45	10	4	20	3	4	9	♓
12	40	27	11	4	21	3	40	10	1
12	44	8	12	5	22	4	17	11	3
12	47	50	13	6	22	4	55	12	4
12	51	32	14	7	23	5	32	13	5
12	55	14	15	8	24	6	9	14	6
12	58	57	16	8	24	6	47	15	8
13	2	40	17	9	25	7	25	16	9
13	6	24	18	10	26	8	3	17	10
13	10	7	19	11	26	8	42	18	12
13	13	51	20	12	27	9	21	19	13
13	17	36	21	12	28	10	0	20	14
13	21	21	22	13	29	10	39	21	16
13	25	6	23	14	29	11	18	22	17
13	28	52	24	15	♐	11	58	23	19
13	32	38	25	16	1	12	39	25	20
13	36	25	26	16	1	13	19	26	21
13	40	13	27	17	2	14	0	27	23
13	44	1	28	18	3	14	42	28	24
13	47	49	29	19	3	15	23	♒	25
13	51	38	30	19	4	16	6	1	27

Sidereal Time H.	M.	S.	10 ♏ °	11 ♏ °	12 ♐ °	Ascen ♐ °	′	2 ♒ °	3 ♓ °
13	51	38	0	19	4	16	6	1	27
13	55	28	1	20	5	16	48	2	28
13	59	18	2	21	6	17	32	4	♈
14	3	8	3	22	6	18	15	5	1
14	7	0	4	23	7	18	59	6	3
14	10	52	5	24	7	19	44	8	4
14	14	44	6	24	8	20	29	9	5
14	18	37	7	25	9	21	15	11	7
14	22	31	8	26	10	22	2	12	8
14	26	26	9	27	11	22	49	14	10
14	30	21	10	28	12	23	37	16	11
14	34	17	11	29	13	24	26	17	12
14	38	14	12	29	13	25	16	19	14
14	42	11	13	♐	14	26	6	21	15
14	46	9	14	1	14	26	57	22	17
14	50	9	15	2	15	27	49	24	18
14	54	7	16	3	16	28	43	26	19
14	58	8	17	4	17	29	37	28	21
15	2	8	18	4	18	0 ♑	32	♓	22
15	6	10	19	5	18	1	29	2	24
15	10	12	20	6	19	2	26	4	25
15	14	16	21	7	20	3	26	6	26
15	18	19	22	8	21	4	26	8	28
15	22	24	23	9	22	5	28	10	29
15	26	29	24	10	23	6	31	12	♉
15	30	35	25	11	23	7	37	14	2
15	34	42	26	11	24	8	44	16	3
15	38	49	27	12	25	9	53	18	5
15	42	57	28	13	26	11	4	21	6
15	47	6	29	14	27	12	17	23	7
15	51	16	30	15	28	13	32	25	9

Sidereal Time H.	M.	S.	10 ♐ °	11 ♐ °	12 ♐ °	Ascen ♑ °	′	2 ♓ °	3 ♉ °
15	51	16	0	15	28	13	32	25	9
15	55	26	1	16	29	15	40	28	11
15	59	37	2	16	♑	16	11	♈	12
16	3	48	3	17	1	17	35	2	13
16	8	1	4	18	2	19	1	4	15
16	12	13	5	19	3	20	31	6	16
16	16	27	6	20	4	22	5	9	17
16	20	41	7	21	5	23	43	11	19
16	24	55	8	22	6	25	24	14	20
16	29	11	9	23	7	27	10	16	21
16	33	26	10	24	8	29	1	18	22
16	37	42	11	25	9	0 ♒	57	20	24
16	41	59	12	26	10	2	58	22	25
16	46	17	13	27	11	5	6	25	26
16	50	34	14	28	12	7	19	27	27
16	54	52	15	29	14	9	40	29	29
16	59	11	16	♑	15	12	7	♉	♊
17	3	30	17	1	16	14	42	3	1
17	7	49	18	2	17	17	25	5	2
17	12	9	19	3	18	20	15	7	3
17	16	29	20	4	20	23	15	9	4
17	20	49	21	5	21	26	23	11	6
17	25	10	22	6	22	29	39	12	7
17	29	30	23	7	24	3 ♓	4	14	8
17	33	51	24	8	25	6	37	16	9
17	38	13	25	9	26	10	18	18	10
17	42	34	26	10	28	14	5	20	11
17	46	55	27	11	29	17	58	21	12
17	51	17	28	12	♒	21	56	22	14
17	55	38	29	13	2	25	57	25	15
18	0	0	30	14	4	30	0	26	16

Sidereal Time H.	M.	S.	10 ♑ °	11 ♑ °	12 ♒ °	Ascen ♈ °	′	2 ♉ °	3 ♊ °
18	0	0	0	14	4	0	0	26	16
18	4	22	1	15	6	4	3	28	17
18	8	43	2	16	7	8	4	♊	18
18	13	5	3	17	9	12	2	1	19
18	17	26	4	19	10	15	55	2	20
18	21	47	5	20	12	19	42	4	21
18	26	9	6	21	14	23	23	5	22
18	30	30	7	22	16	26	56	6	23
18	34	50	8	23	18	0 ♉	21	8	24
18	39	11	9	24	19	3	27	9	25
18	43	31	10	26	21	6	45	10	26
18	47	51	11	27	23	9	45	12	27
18	52	11	12	28	25	12	35	13	28
18	56	30	13	29	27	15	18	14	29
19	0	49	14	♒	29	17	53	15	♋
19	5	8	15	1	♓	20	20	16	1
19	9	26	16	3	3	22	41	18	2
19	13	43	17	4	5	24	54	19	3
19	18	1	18	5	8	27	2	20	4
19	22	18	19	6	10	29	3	21	5
19	26	34	20	8	12	0 ♊	59	22	6
19	30	49	21	9	14	2	50	23	7
19	35	5	22	10	17	4	36	24	8
19	39	19	23	12	19	6	17	25	9
19	43	33	24	13	21	7	55	26	10
19	47	47	25	14	23	9	29	27	11
19	51	59	26	16	26	10	59	28	12
19	56	12	27	17	28	12	25	29	13
20	0	23	28	18	♈	13	49	♋	14
20	4	34	29	19	2	15	10	1	14
20	8	44	30	21	5	16	28	2	15

Sidereal Time H.	M.	S.	10 ♒ °	11 ♒ °	12 ♈ °	Ascen ♊ °	′	2 ♋ °	3 ♋ °
20	8	44	0	21	5	16	28	2	15
20	12	54	1	22	7	17	43	3	16
20	17	3	2	23	9	18	56	4	17
20	21	11	3	25	11	20	7	5	18
20	25	18	4	26	14	21	16	6	19
20	29	25	5	28	16	22	23	7	20
20	33	31	6	29	18	23	29	7	21
20	37	36	7	♓	20	24	32	8	22
20	41	41	8	2	22	25	34	9	22
20	45	44	9	3	24	26	34	10	23
20	49	48	10	5	26	27	34	11	24
20	53	50	11	6	28	28	31	12	25
20	57	52	12	7	♉	29	28	12	26
21	1	52	13	9	2	0 ♋	23	13	27
21	5	53	14	10	4	1	17	14	28
21	9	51	15	12	6	2	11	15	28
21	13	51	16	13	8	3	3	16	29
21	17	49	17	15	9	3	54	16	♌
21	21	46	18	16	11	4	44	17	1
21	25	43	19	17	13	5	34	18	2
21	29	39	20	19	14	6	23	19	3
21	33	34	21	20	16	7	11	20	3
21	37	29	22	22	18	7	58	20	4
21	41	23	23	23	19	8	45	21	5
21	45	16	24	25	21	9	31	22	6
21	49	8	25	26	22	10	16	23	7
21	53	0	26	27	24	11	1	23	7
21	56	52	27	29	25	11	45	24	8
22	0	42	28	♈	26	12	28	25	9
22	4	32	29	2	28	13	12	26	10
22	8	22	30	3	29	13	54	26	11

Sidereal Time H.	M.	S.	10 ♓ °	11 ♈ °	12 ♉ °	Ascen ♋ °	′	2 ♋ °	3 ♌ °
22	8	22	0	3	29	13	54	26	11
22	12	11	1	4	♊	14	37	27	11
22	15	59	2	6	2	15	18	28	12
22	19	47	3	7	3	16	0	28	13
22	23	35	4	9	4	16	41	29	14
22	27	22	5	10	5	17	21	30	15
22	31	8	6	11	7	18	2	♌	15
22	34	54	7	13	8	18	42	1	16
22	38	39	8	14	9	19	21	1	17
22	42	24	9	16	10	20	0	2	18
22	46	9	10	17	11	20	39	3	19
22	49	53	11	18	12	21	18	4	19
22	53	36	12	20	13	21	57	5	20
22	57	20	13	21	14	22	35	5	21
23	1	3	14	22	15	23	13	6	22
23	4	46	15	23	16	23	51	7	22
23	8	28	16	24	17	24	28	7	23
23	12	10	17	26	18	25	5	8	24
23	15	52	18	27	19	25	43	9	25
23	19	33	19	29	20	26	20	9	26
23	23	15	20	♉	21	26	56	10	26
23	26	56	21	1	22	27	33	11	27
23	30	37	22	2	23	28	9	11	28
23	34	18	23	3	24	28	46	12	29
23	37	58	24	4	25	29	22	18	29
23	41	39	25	6	26	29	58	13	♍
23	45	19	26	7	27	0 ♌	34	14	1
23	48	59	27	9	27	1	10	15	2
23	52	40	28	10	28	1	46	15	3
23	56	20	29	11	29	2	21	16	3
24	0	0	30	12	30	2	57	17	4

TABLES OF HOUSES FOR THE ORKNEYS, Latitude 59° 0′ *N.*

Sidereal Time. H.	M.	S.	10 ♈ °	11 ♉ °	12 ♋ °	Ascen ♌ °	′	2 ♌ °	3 ♍ °
0	0	0	0	12	0	3	31	17	4
0	3	40	1	13	1	4	6	17	5
0	7	20	2	14	2	4	41	18	6
0	11	1	3	15	3	5	16	19	7
0	14	41	4	17	3	5	51	19	7
0	18	21	5	18	4	6	26	20	8
0	22	2	6	19	5	7	1	21	9
0	25	42	7	20	6	7	35	21	10
0	29	23	8	21	7	8	10	22	10
0	33	4	9	22	7	8	45	23	11
0	36	45	10	23	8	9	20	23	12
0	40	27	11	24	9	9	54	24	13
0	44	8	12	26	10	10	29	25	14
0	47	50	13	27	10	11	4	25	14
0	51	32	14	28	11	11	39	26	15
0	55	14	15	29	12	12	13	27	16
0	58	57	16	♊	13	12	48	27	17
1	2	40	17	1	13	13	23	28	18
1	6	24	18	2	14	13	58	29	18
1	10	7	19	3	15	14	33	29	19
1	13	51	20	4	16	15	8	♍	20
1	17	36	21	5	16	15	43	1	21
1	21	21	22	6	17	16	18	1	22
1	25	6	23	7	18	16	53	2	22
1	28	52	24	8	19	17	28	3	23
1	32	38	25	9	19	18	3	3	24
1	36	25	26	10	20	18	39	4	25
1	40	13	27	11	21	19	14	5	26
1	44	1	28	12	22	19	49	5	27
1	47	49	29	13	22	20	25	6	27
1	51	38	30	14	23	21	1	7	28

Sidereal Time. H.	M.	S.	10 ♉ °	11 ♊ °	12 ♋ °	Ascen ♌ °	′	2 ♍ °	3 ♍ °
1	51	38	0	14	23	21	1	7	28
1	55	28	1	15	24	21	36	7	29
1	59	18	2	16	25	22	12	8	♎
2	3	8	3	17	25	22	48	9	1
2	7	0	4	18	26	23	24	9	2
2	10	52	5	19	27	24	0	10	2
2	14	44	6	19	27	24	36	11	3
2	18	37	7	20	28	25	13	12	4
2	22	31	8	21	29	25	49	12	5
2	26	26	9	22	30	26	26	13	6
2	30	21	10	23	♌	27	2	14	7
2	34	17	11	24	1	27	39	14	7
2	38	14	12	25	2	28	16	15	8
2	42	11	13	26	3	28	53	16	9
2	46	9	14	27	3	29	30	16	10
2	50	9	15	28	4	0♍	7	17	11
2	54	7	16	29	5	0	45	18	12
2	58	8	17	♋	5	1	22	19	13
3	2	8	18	1	6	2	0	19	13
3	6	10	19	2	7	2	37	20	14
3	10	12	20	2	8	3	15	21	15
3	14	16	21	3	8	3	53	22	16
3	18	19	22	4	9	4	31	22	17
3	22	24	23	5	10	5	10	23	18
3	26	29	24	6	11	5	48	24	19
3	30	35	25	7	11	6	27	25	19
3	34	42	26	8	12	7	5	25	20
3	38	49	27	9	13	7	44	26	21
3	42	57	28	10	14	8	23	27	22
3	47	6	29	11	14	9	2	28	23
3	51	16	30	12	15	9	41	28	24

Sidereal Time. H.	M.	S.	10 ♊ °	11 ♋ °	12 ♌ °	Ascen ♍ °	′	2 ♍ °	3 ♎ °
3	51	16	0	12	15	9	41	28	24
3	55	26	1	12	16	10	20	29	25
3	59	37	2	13	17	11	0	♎	26
4	3	48	3	14	17	11	39	1	27
4	8	1	4	15	18	12	19	1	28
4	12	13	5	16	19	12	59	2	28
4	16	27	6	17	20	13	39	3	29
4	20	41	7	18	20	14	19	4	♏
4	24	55	8	19	21	14	59	5	1
4	29	11	9	20	22	15	39	5	2
4	33	26	10	21	23	16	19	6	3
4	37	42	11	22	24	17	0	7	4
4	41	59	12	22	24	17	40	8	5
4	46	17	13	23	25	18	21	9	6
4	50	34	14	24	26	19	1	9	7
4	54	52	15	25	27	19	42	10	7
4	59	11	16	26	27	20	23	11	8
5	3	30	17	27	28	21	4	12	9
5	7	49	18	28	29	21	45	13	10
5	12	9	19	29	30	22	26	13	11
5	16	29	20	♌	♍	23	7	14	12
5	20	49	21	1	1	23	48	15	13
5	25	10	22	2	2	24	29	16	14
5	29	30	23	2	3	25	10	17	15
5	33	51	24	3	4	25	52	17	16
5	38	13	25	4	4	26	33	18	16
5	42	34	26	5	5	27	14	19	17
5	46	55	27	6	6	27	56	20	18
5	51	17	28	7	7	28	37	20	19
5	55	38	29	8	7	29	19	21	20
6	0	0	30	9	8	30	0	22	21

Sidereal Time. H.	M.	S.	10 ♋ °	11 ♌ °	12 ♍ °	Ascen ♎ °	′	2 ♎ °	3 ♏ °
6	0	0	0	9	8	0	0	22	21
6	4	22	1	10	9	0	41	23	22
6	8	43	2	11	10	1	23	23	23
6	13	5	3	12	11	2	4	24	24
6	17	26	4	13	11	2	46	25	25
6	21	47	5	13	12	3	27	26	26
6	26	9	6	14	13	4	8	27	27
6	30	30	7	15	14	4	50	28	28
6	34	50	8	16	15	5	31	28	28
6	39	11	9	17	15	6	12	29	29
6	43	31	10	18	16	6	53	♏	♐
6	47	51	11	19	17	7	34	1	1
6	52	11	12	20	18	8	15	2	2
6	56	30	13	21	18	8	56	2	3
7	0	49	14	22	19	9	37	3	4
7	5	8	15	23	20	10	18	4	5
7	9	26	16	24	21	10	59	5	6
7	13	43	17	24	22	11	39	5	7
7	18	1	18	25	22	12	20	6	8
7	22	18	19	26	23	13	0	7	8
7	26	34	20	27	24	13	41	7	9
7	30	49	21	28	24	14	21	8	10
7	35	5	22	29	25	15	1	9	11
7	39	19	23	♍	26	15	41	10	12
7	43	33	24	1	27	16	21	10	13
7	47	47	25	2	28	17	1	11	14
7	51	59	26	2	29	17	41	12	15
7	56	12	27	3	29	18	21	13	16
8	0	23	28	4	♎	19	0	13	17
8	4	34	29	5	1	19	40	14	18
8	8	44	30	6	2	20	19	15	18

Sidereal Time. H.	M.	S.	10 ♌ °	11 ♍ °	12 ♎ °	Ascen ♎ °	′	2 ♏ °	3 ♐ °
8	8	44	0	6	2	20	19	15	18
8	12	54	1	7	2	20	58	16	19
8	17	3	2	8	3	21	37	17	20
8	21	11	3	9	4	22	16	18	21
8	25	19	4	10	5	22	55	18	22
8	29	25	5	10	5	23	33	19	23
8	33	31	6	11	6	24	12	20	24
8	37	36	7	12	7	24	50	21	25
8	41	41	8	13	8	25	29	21	26
8	45	44	9	14	8	26	7	22	27
8	49	48	10	15	9	26	45	23	28
8	53	50	11	16	10	27	23	23	28
8	57	52	12	17	11	28	0	24	29
9	1	52	13	17	11	28	38	25	♑
9	5	53	14	18	12	29	15	25	1
9	9	51	15	19	13	29	53	26	2
9	13	51	16	20	14	0♏	30	27	3
9	17	49	17	21	14	1	7	27	4
9	21	46	18	22	15	1	44	28	5
9	25	43	19	23	16	2	21	29	6
9	29	39	20	23	16	2	58	30	7
9	33	34	21	24	17	3	34	♐	8
9	37	29	22	25	18	4	11	1	9
9	41	23	23	26	19	4	47	2	10
9	45	16	24	27	19	5	24	3	11
9	49	8	25	28	20	6	0	3	12
9	53	0	26	28	21	6	36	4	12
9	56	52	27	29	22	7	12	5	13
10	0	42	28	♎	22	7	48	5	14
10	4	32	29	1	23	8	24	6	15
10	8	22	30	2	24	8	59	7	16

Sidereal Time. H.	M.	S.	10 ♍ °	11 ♎ °	12 ♎ °	Ascen ♏ °	′	2 ♐ °	3 ♑ °
10	8	22	0	2	24	8	59	7	16
10	12	11	1	3	24	9	35	8	17
10	15	59	2	3	25	10	11	8	18
10	19	47	3	4	26	10	46	9	19
10	23	35	4	5	26	11	21	10	20
10	27	22	5	6	27	11	57	11	21
10	31	8	6	7	28	12	32	11	22
10	34	54	7	8	28	13	7	12	23
10	38	39	8	8	29	13	42	13	24
10	42	24	9	9	29	14	17	14	25
10	46	9	10	10	♏	14	52	14	26
10	49	53	11	11	1	15	27	15	27
10	53	36	12	12	2	16	2	16	28
10	57	20	13	12	2	16	37	17	29
11	1	3	14	13	3	17	12	17	♒
11	4	46	15	14	3	17	47	18	1
11	8	28	16	15	4	18	21	19	2
11	12	10	17	16	5	18	56	20	4
11	15	52	18	17	5	19	31	20	5
11	19	33	19	17	6	20	6	21	6
11	23	15	20	18	7	20	40	22	7
11	26	56	21	19	7	21	15	23	8
11	30	37	22	20	8	21	50	24	9
11	34	18	23	20	9	22	25	24	10
11	37	58	24	21	9	22	59	25	11
11	41	39	25	22	10	23	34	26	12
11	45	19	26	23	11	24	9	27	13
11	48	59	27	24	11	24	44	27	14
11	52	40	28	24	12	25	19	28	16
11	56	20	29	25	13	25	54	29	17
12	0	0	30	26	13	26	29	30	18

TABLES OF HOUSES FOR THE ORKNEYS, Latitude 59° 0′ N.

Sidereal Time. H.	M.	S.	10 ♎ °	11 ♎ °	12 ♏ °	Ascen ♏ °	′	2 ♑ °	3 ♒ °
12	0	0	0	26	13	26	29	0	18
12	3	40	1	27	14	27	4	1	19
12	7	20	2	27	15	27	39	2	20
12	11	1	3	28	16	28	15	3	21
12	14	41	4	29	16	28	50	3	23
12	18	21	5	♏	17	29	25	4	24
12	22	2	6	1	17	0 ♐	1	5	25
12	25	42	7	1	18	0	37	6	26
12	29	23	8	2	19	1	13	7	28
12	33	4	9	3	20	1	49	8	29
12	36	45	10	4	20	2	25	9	♓
12	40	27	11	4	21	3	1	10	1
12	44	8	12	5	22	3	37	11	3
12	47	50	13	6	22	4	14	12	4
12	51	32	14	7	23	4	51	13	5
12	55	14	15	8	24	5	28	14	6
12	58	57	16	8	24	6	5	15	8
13	2	40	17	9	25	6	42	16	9
13	6	24	18	10	26	7	20	17	10
13	10	7	19	11	26	7	58	18	12
13	13	51	20	12	27	8	36	19	13
13	17	36	21	12	28	9	14	20	14
13	21	21	22	13	29	9	53	21	16
13	25	6	23	14	29	10	32	22	17
13	28	52	24	15	♐	11	11	23	19
13	32	38	25	16	1	11	51	25	20
13	36	25	26	16	1	12	31	26	21
13	40	13	27	17	2	13	11	27	23
13	44	1	28	18	3	13	52	28	24
13	47	49	29	19	3	14	33	♒	25
13	51	38	30	19	4	15	14	1	27

Sidereal Time. H.	M.	S.	10 ♏ °	11 ♏ °	12 ♐ °	Ascen ♐ °	′	2 ♒ °	3 ♓ °
13	51	38	0	19	4	15	14	1	27
13	55	28	1	20	5	15	56	2	28
13	59	18	2	21	6	16	38	4	♈
14	3	8	3	22	6	17	21	5	1
14	7	0	4	23	7	18	4	6	3
14	10	52	5	24	7	18	48	8	4
14	14	44	6	24	8	19	33	9	5
14	18	37	7	25	9	20	18	11	7
14	22	31	8	26	10	21	4	12	8
14	26	26	9	27	11	21	50	14	10
14	30	21	10	28	12	22	37	16	11
14	34	17	11	29	13	23	25	17	12
14	38	14	12	29	13	24	13	19	14
14	42	11	13	♐	14	25	2	21	15
14	46	9	14	1	14	25	53	22	17
14	50	9	15	2	15	26	44	24	18
14	54	7	16	3	16	27	36	26	19
14	58	8	17	4	17	28	29	28	21
15	2	8	18	4	18	29	23	♓	22
15	6	10	19	5	18	0 ♑	18	2	24
15	10	12	20	6	19	1	15	4	25
15	14	16	21	7	20	2	12	6	26
15	18	19	22	8	21	3	11	8	28
15	22	24	23	9	22	4	12	10	29
15	26	29	24	10	23	5	14	12	♉
15	30	35	25	11	23	6	18	14	2
15	34	42	26	11	24	7	23	16	3
15	38	49	27	12	25	8	31	18	5
15	42	57	28	13	26	9	40	21	6
15	47	6	29	14	27	10	52	23	7
15	51	16	30	15	28	12	6	25	9

Sidereal Time. H.	M.	S.	10 ♐ °	11 ♐ °	12 ♐ °	Ascen ♑ °	′	2 ♓ °	3 ♉ °
15	51	16	0	15	28	12	6	25	9
15	55	26	1	16	29	13	22	28	11
15	59	37	2	16	♑	14	41	♈	12
16	3	48	3	17	1	16	3	2	13
16	8	1	4	18	2	17	28	4	15
16	12	13	5	19	3	18	56	6	16
16	16	27	6	20	4	20	28	9	17
16	20	41	7	21	5	22	5	11	19
16	24	55	8	22	6	23	45	14	20
16	29	11	9	23	7	25	29	16	21
16	33	26	10	24	8	27	19	18	22
16	37	42	11	25	9	29	14	20	24
16	41	59	12	26	10	1 ♒	14	22	25
16	46	17	13	27	11	3	21	25	26
16	50	34	14	28	12	5	34	27	27
16	54	52	15	29	14	7	54	29	29
16	59	11	16	♑	15	10	22	♉	♊
17	3	30	17	1	16	12	58	3	1
17	7	49	18	2	17	15	43	5	2
17	12	9	19	3	18	18	36	7	3
17	16	29	20	4	20	21	39	9	4
17	20	49	21	5	21	24	52	11	6
17	25	10	22	6	22	28	14	12	7
17	29	30	23	7	24	1 ♓	46	14	8
17	33	51	24	8	25	5	27	16	9
17	38	13	25	9	26	9	17	18	10
17	42	34	26	10	28	13	15	20	11
17	46	55	27	11	29	17	20	21	12
17	51	17	28	12	♒	21	30	22	14
17	55	38	29	13	2	25	44	25	15
18	0	0	30	14	4	30	0	26	16

Sidereal Time. H.	M.	S.	10 ♑ °	11 ♑ °	12 ♒ °	Ascen ♈ °	′	2 ♉ °	3 ♊ °
18	0	0	0	14	4	0	0	26	16
18	4	22	1	15	6	4	16	28	17
18	8	43	2	16	7	8	30	♊	18
18	13	5	3	17	9	12	40	1	19
18	17	26	4	19	10	16	45	2	20
18	21	47	5	20	12	20	43	4	21
18	26	9	6	21	14	24	33	5	22
18	30	30	7	22	16	28	14	6	23
18	34	50	8	23	18	1 ♉	46	8	24
18	39	11	9	24	19	5	8	9	25
18	43	31	10	26	21	8	21	10	26
18	47	51	11	27	23	11	24	12	27
18	52	11	12	28	25	14	17	13	28
18	56	30	13	29	27	17	2	14	29
19	0	49	14	♒	29	19	38	15	♋
19	5	8	15	1	♓	22	6	16	1
19	9	26	16	3	3	24	26	18	2
19	13	43	17	4	5	26	39	19	3
19	18	1	18	5	8	28	46	20	4
19	22	18	19	6	10	0 ♊	46	21	5
19	26	34	20	8	12	2	41	22	6
19	30	49	21	9	14	4	31	23	7
19	35	5	22	10	17	6	15	24	8
19	39	19	23	12	19	7	55	25	9
19	43	33	24	13	21	9	32	26	10
19	47	47	25	14	23	11	4	27	11
19	51	59	26	16	26	12	32	28	12
19	56	12	27	17	28	13	57	29	13
20	0	23	28	18	♈	15	19	♋	14
20	4	34	29	19	2	16	38	1	14
20	8	44	30	21	5	17	54	2	15

Sidereal Time. H.	M.	S.	10 ♒ °	11 ♒ °	12 ♈ °	Ascen ♊ °	′	2 ♋ °	3 ♋ °
20	8	44	0	21	5	17	54	2	15
20	12	54	1	22	7	19	8	3	16
20	17	3	2	23	9	20	20	4	17
20	21	11	3	25	11	21	29	5	18
20	25	18	4	26	14	22	37	6	19
20	29	25	5	28	16	23	42	7	20
20	33	31	6	29	18	24	46	7	21
20	37	36	7	♓	20	25	48	8	22
20	41	41	8	2	22	26	49	9	22
20	45	44	9	3	24	27	48	10	23
20	49	48	10	5	26	28	45	11	24
20	53	50	11	6	28	29	42	12	25
20	57	52	12	7	♉	0 ♋	37	12	26
21	1	52	13	9	2	1	31	13	27
21	5	53	14	10	4	2	24	14	28
21	9	51	15	12	6	3	16	15	28
21	13	51	16	13	8	4	7	16	29
21	17	49	17	15	9	4	58	16	♌
21	21	46	18	16	11	5	47	17	1
21	25	43	19	17	13	6	35	18	2
21	29	39	20	19	14	7	23	19	3
21	33	34	21	20	16	8	10	20	3
21	37	29	22	22	18	8	56	20	4
21	41	23	23	23	19	9	42	21	5
21	45	16	24	25	21	10	27	22	6
21	49	8	25	26	22	11	12	23	7
21	53	0	26	27	24	11	56	23	7
21	56	52	27	29	25	12	39	24	8
22	0	42	28	♈	26	13	22	25	9
22	4	32	29	2	28	14	4	26	10
22	8	22	30	3	29	14	46	26	11

Sidereal Time. H.	M.	S.	10 ♓ °	11 ♈ °	12 ♉ °	Ascen ♋ °	′	2 ♋ °	3 ♌ °
22	8	22	0	3	29	14	46	26	11
22	12	11	1	4	♊	15	27	27	11
22	15	59	2	6	2	16	8	28	12
22	19	47	3	7	3	16	49	28	13
22	23	35	4	9	4	17	29	29	14
22	27	22	5	10	5	18	9	30	15
22	31	8	6	11	7	18	49	♌	15
22	34	54	7	13	8	19	28	1	16
22	38	39	8	14	9	20	7	1	17
22	42	24	9	16	10	20	46	2	18
22	46	9	10	17	11	21	24	3	19
22	49	53	11	18	12	22	2	4	19
22	53	36	12	20	13	22	40	5	20
22	57	20	13	21	14	23	18	5	21
23	1	3	14	22	15	23	55	6	22
23	4	46	15	23	16	24	32	7	22
23	8	28	16	24	17	25	9	7	23
23	12	10	17	26	18	25	46	8	24
23	15	52	18	27	19	26	23	9	25
23	19	33	19	29	20	26	59	9	26
23	23	15	20	♉	21	27	35	10	26
23	26	56	21	1	22	28	11	11	27
23	30	37	22	2	23	28	47	11	28
23	34	18	23	3	24	29	23	12	29
23	37	58	24	4	25	29	59	13	29
23	41	39	25	6	26	0 ♌	35	13	♍
23	45	19	26	7	27	1	10	14	1
23	48	59	27	9	27	1	45	15	2
23	52	40	28	10	28	2	21	15	3
23	56	20	29	11	29	2	56	16	3
24	0	0	30	12	30	3	31	17	4

EXPLANATION.

The Tables for Plymouth will be available chiefly for Cornwall, South Devon and the Dorset Coast.

Those for Taunton will be useful for the South Coast generally, Sussex, Hampshire, Dover, Folkestone, North Devon and Somerset.

Those for London will cover Windsor, Reading, Swindon, Bath, Bristol, Newport, Cardiff, Swansea and Pembroke.

The Tables for Buckingham will be available for Ipswich, Colchester, Bedford, Gloucester, Cheltenham and Cork.

Those for Birmingham will cover Lowestoft, Great Yarmouth, Norwich, Peterborough, Market Harborough, Coventry, Wolverhampton, Tipperary, Kilkenny and Limerick.

Those for Nottingham are available for North Norfolk, South Lincoln, including Boston, Leicester, Derby, Stoke, Crewe and Wicklow.

The Liverpool Tables will cover Grimsby, Doncaster, Barnsley, Sheffield, Oldham, Stockport, Manchester, Salford, Warrington, Birkenhead, Dublin and Galway.

The Tables for Hull cover the most populous district, outside London, and will be available for Leeds, Bradford, Halifax, Wakefield, Huddersfield, Burnley, Accrington, Blackburn, Preston and Southport.

Those for York will be chiefly available for the centres of Yorkshire and Lancashire, including Bridlington, Lancaster and Dundalk in Ireland.

The Tables for Belfast will cover Whitby, Darlington, Middlesborough, Stockton, Hartlepool, Lurgan and Tyrone.

Those for Newcastle will suffice for Sunderland, Gateshead, Shields, Jarrow, the extreme South of Scotland and Londonderry.

The Tables for Glasgow are available for Berwick, Edinburgh, Paisley, Hamilton, Coatbridge, &c.

Those for Dundee will answer for Perth, and the centre of Scotland generally.

The Tables for Aberdeen will be available for Balmoral, and the South of Skye.

Those for Inverness and Wick will cover practically the whole of the North of Scotland.

In addition to the above, these Tables will be available for the South of Sweden and Norway, the whole of Denmark, Holland and Belgium, Northern Germany, Poland and the centres of Russia and Siberia.